金陵全書

甲編・方志類・府志

洪武京城圖志

（明）禮部 纂修

萬曆應天府志（一）

（明）程嗣功 修
（明）王一化 纂

南京出版社

圖書在版編目（CIP）數據

洪武京城圖志 /（明）禮部纂修. 萬曆應天府志 /（明）程嗣功修；（明）王一化纂. — 南京：南京出版社，2011.3

（金陵全書）

ISBN 978-7-80718-709-7

Ⅰ. ①洪… ②萬… Ⅱ. ①禮… ②程… ③王… Ⅲ. ①南京市—地方志—明代 Ⅳ.①K295.31

中國版本圖書館CIP數據核字（2011）第019602號

書　　名　【金陵全書】（甲編・方志類・府志）
　　　　　洪武京城圖志・萬曆應天府志
編 著 者　（明）禮部　纂修；（明）程嗣功　修　（明）王一化　纂
出版發行　南京出版社
　　　　　社址：南京市成賢街43號3號樓　郵編：210018
　　　　　網址：http://www.njcbs.com
　　　　　聯系電話：025-83283871（營銷）　025-83283883（編務）
　　　　　電子信箱：njcbs1988@163.com
責任編輯　鮑咏梅　范　憶　徐碧超
裝幀設計　楊曉崗
製　　版　南京新華豐製版有限公司
印　　刷　南京凱德印刷有限公司
經　　銷　全國新華書店
開　　本　889 × 1194毫米　1/16
印　　張　122.75
版　　次　2011年6月第1版
印　　次　2011年6月第1次印刷
書　　號　ISBN 978-7-80718-709-7
定　　價　1800.00 元

總序

南京，俗稱金陵，中國著名的四大古都之一，是國務院首批公佈的國家歷史文化名城。

南京有着六十萬年的人類活動史，近二千五百年的建城史，約一千七百年的建都史，享有『六朝古都』、『十朝都會』的美譽。南京歷史的興衰起伏在某種程度上可以説是中國歷史的一個縮影。在中華民族光輝燦爛的歷史長河中，古聖先賢在南京創造了舉世矚目、富有特色的六朝文化、南唐文化、明文化和民國文化，爲中華民族文化的傳承和發展作出了不朽貢獻。然而，由于時代的遞遷、戰爭的破壞以及自然的損毁等原因，歷史上南京的輝煌成就以物質文化形態留存下來的相對較少，見諸文獻典籍的則相對較多。南京文獻内涵廣博，卷帙浩繁，版本複雜。截至一九四九年中華人民共和國成立，南京文獻留存下來的有近萬種，在全國歷史文化名城中名列前茅。以六朝《世説新語》、《文心雕龍》、《昭明文選》，唐朝《建康實録》，宋朝《景定建康志》、《六朝事迹編類》，元朝《至正金陵新志》，明朝《洪武京城圖志》、《金陵古今圖考》、《客座贅語》，清朝《康熙江寧府志》、《白下瑣言》，民國《首都計劃》、《首都志》、《金陵古蹟圖考》等爲代表的南京地方文獻，不僅是南京文化的集中體現，也是中華民族優秀傳統文化的重要組成部分。這些南京文獻，積淀貯存了歷代南京人民的經驗和智慧，翔實地反映了南京地區的社會變遷，是研究南京乃至全國政治、經濟、軍事、文化、外交和民風民俗的重要資料。

歷史上的南京文化輝煌燦爛，各類圖書典籍琳琅滿目。迄今爲止，南京文獻曾經有過三次不同程度的整理。

第一次是距今六百多年前的明朝永樂年間，明朝中央政府在南京組織整理出版了《永樂大典》。《永樂大典》正文二萬二千八百七十七卷，凡例和目録六十卷，分裝成一萬一千零九十五册，總字數約三億七千萬字。書中保存了中國上自先秦、下迄明初的各種典籍資料達七八千種，是中國古代最大的類書。

第二次是民國年間，南京通志館編印了一套《南京文獻》。《南京文獻》每月一期，從一九四七年元月至一九四九年二月共刊行了二十六期，收入南京地方文獻六十七種，包括元明清到民國各個時期的著作，其中收録的部分民國文獻今天已經成爲絶版。

第三次是二〇〇六年以來，南京出版社選取部分南京珍貴文獻，整理出版了一套《南京稀見文獻叢刊》點校本，到目前爲止，已經出版了二十四册五十種，時代上起六朝，下迄民國，在學術普及方面作出了一定的貢獻。

新中國成立六十年來，尤其是改革開放三十年來，南京的政治、經濟、文化建設飛速發展，但南京文獻的全面系統整理出版工作一直没有得到應有的重視，這與南京這座國家歷史文化名城的地位頗不相稱。據調查，目前有關南京的各類文獻主要保存在南京圖書館、南京市檔案館，以及全國各地的高等院校、科研院所、圖書館、檔案館、博物館，少數流散于民間和國外。一方面，廣大讀者要查閲這些收藏在全國各地的南京文獻殊爲不便；另一方面，許多珍貴的南京文獻隨着歲月的流逝而瀕臨損毁和失傳。南京文獻的存史、資治、教化、育人功能没有得到應有的發揮。

盛世修史（志）。在中華民族和平崛起和大力弘揚民族傳統文化、全力發展民族文化事業的大背景下，在建設『文化南京』的發展思路下，中共南京市委、南京市人民政府于二〇〇九年十二月作出决定，將南京有史以來的地方文獻進行全面系統的匯集、整理和影印出版，輯爲《金陵全書》（以下簡稱《全書》），以更好地搶救和保護鄉邦文獻，傳承民族文化，推動學術研究，促進南京文化建設；同時，也更爲有効地增加南京文獻存世途徑，提昇南京文獻地位，凸顯南京文獻價值。

爲編纂出能够代表當代最高學術水平和科技成就，又經得起時間檢驗的《全書》，我們將編纂工作分成三個階段進行。第一個階段爲調研階段，主要對南京現存文獻的種類、數量、保存現狀以及收藏地點等進行深入細緻的調研，召集專家學者多次進行學術論證和可操作性論證，撰寫出可行性調查報告，爲科學決策提供依據，此項工作主要由中共南京市委宣傳部和南京出版社組織完成。第二個階段爲啓動階段，以二〇〇九年十二月二十四日召開的『《金陵全書》編纂啓動工作會』爲標志，市委主要領導親自到會動員講話，市委宣傳部對《全書》的編纂出版工作作了明確部署。在廣泛徵求專家學者意見的基礎上，確定了《全書》的總體框架設計，確定了將《全書》列爲市委宣傳部每年要實施的重大文化工程，確定了主要參編責任單位和責任人，并分解了任務。第三個階段爲編纂出版階段，主要在全國範圍内進行資料的徵集、遴選和圖書的版式設計、複製、排版及印製工作。

爲了確保《全書》編纂出版工作的順利進行，中共南京市委、南京市人民政府成立了專門的編纂出版組織機構。其中編輯工作領導小組，由中共南京市委、市政府領導以及相關成員單位主要負責人組成；《全書》的編纂出版工作由市委宣傳部總牽頭；學術指導委員會，由蔣贊初、茅家琦、梁白泉等一批全國著名的專家學者組成，負責《全書》的學術審核和把關。

《全書》分爲方志、史料和檔案三大類。自二〇一〇年起，計劃每年出版十册以上。鑒于《全書》的整理出版工作難度較大，周期較長，在具體操作中，我們採取了分工協作的方式。市委宣傳部和南京出版社負責《全書》的總體策劃，其中方志部分，主要由南京市地方志編纂委員會辦公室承擔；史料部分，主要由南京圖書館承擔；檔案部分，主要由南京市檔案局（館）承擔。《全書》的編輯出版，得到了江蘇省文化廳、江蘇省新聞出版局、江蘇省檔案局（館）、南京大學、南京圖書館、南京市文廣新局、南京市社科聯（社科院）、南京市文聯、南京市博物館、金陵圖書館以及各區、縣委宣傳部和地方志辦公室等單位及社會各界的熱情鼓勵和大力支持，尤其是得到了中國國家圖書館和全國各地（包括港臺地區）高等院校、科研院所、圖書館、檔案館、博物館等藏書單位的鼎力相助，在此表示深深的謝意！

我們相信，在中共南京市委、南京市人民政府的長期不懈支持下，在各部門、各單位的積極配合和衆多專家學者的共同努力下，這項功在當代、利在千秋的傳世工程一定能够圓滿完成。

《金陵全書》編輯出版委員會

二〇一〇年七月

凡例

一、《金陵全書》（以下簡稱《全書》）收録的南京文獻，依内容分爲方志、史料和檔案三大類。

二、《全書》按上述三大類分爲甲、乙、丙三編，以不同的封面顔色加以區分；每編酌分細類，原則上以成書時代爲序分爲若幹册，依次編列序號。

三、《全書》收録南京文獻的範圍，以二〇一〇年南京市所轄十一區（玄武、白下、秦淮、建鄴、鼓樓、下關、浦口、六合、棲霞、雨花臺、江寧）二縣（溧水、高淳）爲限。

四、《全書》收録的南京文獻，其成書年代的下限爲一九四九年。

五、《全書》收録方志和史料，盡量選用善本爲底本。《全書》收録的檔案以學術價值和實用價值較高爲原則，一般選用延續時間較長、相對比較完整的檔案全宗。

六、《全書》收録的南京文獻底本如有殘缺、漫漶不清等情況，必要時予以配補、抽換或修描，以保證全書完整清晰；稿本、鈔本、批校本的修改、批注文字等均保留原貌。

七、《全書》收録的南京文獻，每種均撰寫提要，置于該文獻前，以便讀者了解其作者生平、主要内容、學術文化價值、編纂過程、版本源流、底本採用等情況。

八、《全書》所收文獻篇幅較大時，分爲序號相連的若幹册；篇幅較小的文獻，則將數種合編爲一册。

九、《全書》統一版式設計，大部分文獻原大影印；對于少數原版面過大或過小的文獻，適當進行縮小或放大處理，并加以説明。

十、《全書》各册除保留文獻原有頁碼外，均新編頁碼，每册頁碼自爲起訖。

總目録

金陵全書

甲編・方志類・府志

洪武京城圖志

（明）禮部 纂修

南京出版社

提要

《洪武京城圖志》一卷，明朝禮部纂修。

《洪武京城圖志》，因編纂於明朝洪武年間，習稱《洪武志》；又因内容是關於明都南京的圖志，故名《京城圖志》。

明朝建立後，出於治理國家和鞏固政權的需要，統治者極爲重視地方志書的編纂。明太祖朱元璋在位時，詔令禮部編纂有關京城南京的志書。禮部是明朝中央行政機構中的六部之一，掌國家典禮、祭祀、學校、科舉和接待四方賓客等事務。洪武二十八年（一三九五年），《洪武京城圖志》成書并刊刻行世。據《明太祖實録》卷二四三記載：『（洪武二十八年）辛亥，《洪武志》書成。其書述都城山川、地里、封域之沿革，宫闕門觀之制度，以及壇廟、寺宇、街市、橋梁之建置更易，靡不具載，詔刊行之。』

《洪武京城圖志》卷首載有明朝承直郎詹事府丞杜澤《序》、承務郎詹事府右春坊右贊善王俊華《記》及『皇都山川封城圖考』。正文分宫闕、城門、山川、壇廟、寺觀、官署、學校、倉庫司局、橋梁、街市、樓館、厩牧、園圃十三類，文字言簡意賅；配以《皇城圖》、《大祀壇·山川壇圖》、《廟宇寺觀圖》、《官署圖》、《國學圖》、《街市橋梁圖》、《樓館圖》七幅刻畫細緻的綫描圖，直觀形象地展示了明初京城南京的雄偉規模和宏大氣象。清朝永瑢等纂《四庫全書總目》卷七四《史部三十·地理類存目三》在介紹《南畿志》時稱：『明以應天府爲南京，稱根本重地。有《京城圖志》，僅載都城，未詳郡縣。』明太祖對這部志書的編纂頗爲重視，其中的配圖由他親自命人繪制。杜澤《序》寫道：『皇上萬幾之暇，命工繪圖，頒示天下。』

《洪武京城圖志》是明朝南京的第一部官修志書，對研究明初南京歷史具有重要參考價值；同時，該書也是官修都城志的典範之作，對後世修纂城市志具有重要的借鑒意義。

《洪武京城圖志》洪武刊本已佚。清朝上元（今南京）人朱緒曾在《開有益齋讀書志》中謂曾見過洪武刊本，稱其『鏤刻精工，字仿趙雪鬆體……此圖志是明初印本，古香觸手，與宋元佳刻無异』。流傳下來的最早版本爲弘治五年（一四九二年）重刊本。明朝承直郎南京户部主事王鴻儒《跋》叙述了弘治壬子（一四九二年）在杭州友人處偶得此書、喜不自勝，後由『博雅而好古』的江寧縣知縣朱宗重刊此書的原委。此後的刊本幾乎都是以弘治五年重刊本爲底本翻刻的。

『金陵全書』本以南京圖書館藏明弘治五年江寧縣知縣朱宗重刊本爲底本原大影印。版心尺寸爲縱25厘米，橫16.7厘米。在這部弘治重刊本的扉頁上粘有兩張夾頁，這是浙江丁氏八千卷樓藏書的重要標志。夾頁上面有墨書的有關這本書的内容介紹，題頭有『洪武京城圖志一卷　明宏治重刊本　山陰杜氏煦藏書』字樣。由此可知，此書最初的收藏人爲杜煦，後爲浙江丁氏八千卷樓收藏，故而有避清帝乾隆名諱之舉。在重刊本的王鴻儒《跋》後，有手抄的明朝歸有光、清朝朱緒曾、清末民初柳詒徵三人的《跋》，用紙也不同，可能爲丁氏所爲。

《洪武京城圖志》目前常見的版本還有以下幾種：一、中國國家圖書館藏清抄本。該版本墨色均勻，比明刻本多出一幅《京城山川圖》，但缺明朝杜澤《序》、王鴻儒《跋》；一九九八年書目文獻出版社出版的『北京圖書館古籍珍本叢刊』以此清抄本爲底本影印出版。二、民國戊辰（一九二八年）南京中社影印本。紙質泛白，墨色不均，字迹較虚。該版本後面依次是明朝歸有光、清朝朱緒曾、清朝杜煦、清末民初柳詒徵四人的《跋》，由此可以看出它是以杜煦收藏的明朝弘治刻本爲底本。三、民國三十六年（一九四七年）南京市通志館印行的《南京文獻》標點本。該版本以明刻本爲底本，後有明朝歸有光、清朝朱緒曾的

《跋》，但書中缺少《皇城圖》、《京城山川圖》。四、二〇〇六年南京出版社出版的『南京稀見文獻叢刊』點校本。該版本也是以明朝弘治刻本爲底本，後有歸有光、朱緒曾、柳詒徵三人的《跋》。

《洪武京城圖志》作爲明朝南京的一部重要地方文獻，在《四庫全書總目提要》、《中國地方志聯合目録》中均未著録，實爲缺憾。

《洪武京城圖志》的作者是誰，歷來説法不一。《明史》卷九七《藝文志二》中列有『《洪武京城圖志》一卷』，未著作者。明朝王鴻儒在《洪武京城圖志跋》中明確指出是禮部所爲：『蓋我太祖高皇帝敕禮部爲之，以觀示天下。』民國中社本柳詒徵《跋》也認爲是『明洪武時禮部奉敕所撰』。《南京文獻》第3號采取模糊的手法，寫成『刊明本』。『北京圖書館古籍珍本叢刊』影印本寫作『[明]王俊華纂修』。南京出版社點校本寫作『禮部』。我們認爲，由明朝開國皇帝朱元璋親自下令編纂的這樣一部重要的官修志書，不太可能爲一人所爲，而應該是集體行爲；同時，此書重在展示明都南京的風采，由禮部編纂入情入理，所以，以明朝王鴻儒的記述比較符合實際。

朱明

洪武京城圖志

志一

洪武京城圖志一卷 明宏治重刊本

小隱杜氏照藏本

首有皇都山川封域圖考,乃叙楚威王、秦始皇、吴、晉、宋、齊、梁、陳、隋、唐、南唐、宋、遼年世,次目録,分宮闕、城門、山川、壇廟、寺觀、官署、學校、寺觀、橋梁、街市、樓館、倉庫、廄牧、園圃十門,次爲京城圖、宮闕圖、山川圖、大祀壇圖、山川壇、廟、寺觀圖、官署圖、國學圖、街市橋梁圖、樓館圖,共文前詳明初建國規模,瞭然在目。前有洪武二十八年十二月二十二日承直郎兵事府丞杜澤序,稱神聖聰明,洪謀遠畧,詳内外,列營邑,都城據虎踞之勢,長江衛護之雄,鍾山拱翼之巍,此天地之所造設也,若乃宮徽臨金闕,煌煌黄道,分玉衛,垣垣城郭,延袤市衢,有條六部居左,五府列右,以文武府處西,鎮静以府内十衛以衛列于樓,以待嘉賓之燕,皇上之所經制也。以此觀之,皇京師天下之本,萬邦輻輳,重譯來庭,四海之所歸依,萬民之所取正,非遠代七都偏據一方之可併也。皇上萬幾之暇,命工繪圖,頒示天下,目所近將之列,仰瞻大日之光,華觀斯圖,不勝感戴。又承務郎右春坊右贊善臣王俊華記,稱有承直郎南京戶部主事臣王鴻儒,謂予始謁儒官南都,嘗欲求高皇帝定天下時神功聖德,及當時謀臣戰將勳奇戰功,論攻取之詳,而故老凋零,無所於質,後生小子習聞紀述,亦往往失真,而不足稽,稍稍得一二遂東南士大夫,往聞得一二而掌遺一九,殊可恨也。宏治壬子於杭人府中得此名跡,亦足以補平生之一

懷而金陵名勝之迹大抵得之矣江寧知縣朱宗博雅好古請壽諸梓以廣其傳也旨曾欲興南都之盛者
亦當有考於此又絳雲樓書目載有此書元朱緒曾開有益齋讀書志[illegible]所藏此本志是明初印本錢
刊於工字仿趙松雪體共六十葉每半葉十行滿行十九字廿冊恒寬潤字大悅目古香襲手與宋元佳刻無異
惟闕杜澤二序今就家治翻刻而當時得於校人之手又增一重掌固矣 杜煦之印

洪武京城圖志序

聖人代天理物為億兆之君師定天下之大業宅形勝之都邑不偶然也如堯舜禹都冀方湯居商周都豐鎬洛邑漢唐關中有宋居汴是皆統一海內以安黎庶此可見天降聖人造設黙定之意焉欽惟

主上當元綱解紐之際會

上天更運之時應天順人特起中夏定都江左四征弗庭勝兵西上陳虜殄滅揚旗姑蘇縛張氏面縛[illegible][illegible]收討中原以清掃腥羶於幽朔殄幺麽

於蜀都群孽盡銷京畿已固所謂
大明當天而爝火熄也伏惟
皇上神聖聰明深謀遠畧建泰山不拔之基爲萬
世無窮之計詳内畧外經營邑都其龍蟠虎踞
之勢長江衛護之雄群山拱翼之嚴此天地之
所造設也若乃紫微臨
金闕煌煌黄道分玉街坦坦城郭延袤市衢有條
六卿居左經緯以文五府處西鎮靜以武如十
廟以祀忠烈十樓以待嘉賓此
皇上之所經制也以此觀之京師天下之本萬邦

幅輳重譯來庭四海之所歸依兆民之所取正
非遠代七朝偏據一方之可侔也
皇上萬幾之暇命工繪圖須示天下臣叨近侍之
列仰瞻
天日之光幸觀斯圖不勝感戴一披而金陵形勝
了然心目之間非若前代所都徒有其名而莫
能考其實也嗚呼盛矣哉因拜手稽首繫之以
詩曰地闢天開金陵大哉帝居允諧鍾山巍巍
聖德光輝奄有九圍大江滔滔
聖德深高地載天包鍾山蒼蒼大江洋洋

聖德隆昌自西自東朔南承風車書混同
天命諄諄
聖子神孫萬萬年春愚臣拜手
聖皇萬壽天長地久
洪武二十八年冬十有二月二十二日承直郎
詹事府丞臣杜澤謹序

洪武京城圖志記

天地定位山川啓輿區之秘宅中考卜河岳壯
金湯之固況乎
神畧
聖懷其所蓄也深則其待於今也大
聖人應期啓運故天發其藏地闢其會而體國經
野之制固有以軼豐鎬而跨兩京者矣金陵控
扼吳楚天塹繚其西北連山拱其東南而龍蟠
虎踞之勢昔人之言蓋不誣也孫吳始創居之
六朝南唐雖代有其地然而疆域之廣未極其

盛者意者天之所兆　有資於今日以啓一代

王業之隆也歟歲壬辰癸巳間天厭元德群雄

並起

聖上龍興淮甸

天戈南指吳越首入版圖乃默與

神謀即定都于是辨方正位立洪基造丕圖而輝

鄏之鼎以定山若增而高水若增而深四抱環

合獻奇貢異而榮光佳氣與斗牛星紀並麗乎

太微帝車之間何其偉耶樹本既固乃命將出

師渡山東下河南拔潼關而守之遂北摧幽燕

西臨汾晋入陜右盡有秦隴之地凡元之餘孽皆來請命于
庭故交廣之墟羌僰之聚椎結卉裳之區山梯海航咸奉琛致貢方軌畢至而
京師之壯增飾崇麗輪蹄交集絲管喧競歲時士女填郭隘鄣其宏盛氣象度越今古豈區區偏方閏位之可媲擬哉雖然
皇上經營締構蓋已極其盛矣然而遐方遠裔未覩其勝無以知
聖謨經綸之至爰詔禮曹命畫者貌以爲圖毫分

縷析街衢巷隧之列橋道亭臺之施名賢祠屋
之嚴邃王侯第宅之華好星陳棊布地有顯晦
而沿革不同名有古今而表著無異凡所以大
一統之規模者可以一覽而盡得之矣圖成并
鋟諸梓且摹之以徧示四方使天下之人足跡
未嘗一至者皆得覩其勝槩亦若間
和鑾之音望
屬車之塵於鉤陳豹尾間也大矣哉
皇上之英謀偉略何其深且至耶臣俊華遭際
明時庀職春坊謹拜手稽首而言曰自古聖帝

明王之有天下也若夏殷之禪繼周漢之龍興唐宋之紹承莫不奮自西北徐起而有中土然後始得而制東南耳

皇上不階尺土乃以吳越之疆席卷中夏求天丹徼之域雕題金齒斷髮文身之屬莫不重譯而至嘉禾靈草諸祥之物史不絶書

天命之所係屬如是夫湛恩厚德亘千萬年

聖子

神孫承承繼繼以保此無窮之基覽是圖者其尚

有考於斯焉承務郎右春坊右贊善臣王俊華

謹記

皇都山川封城圖攷

輿地志云鍾山古金陵山也縣邑之名由此而立建康實録云楚威王築城石頭置邑以其地接華陽金壇之陵故號金陵於天文其星斗牛其次星紀秦始皇三十六年以金陵為鄣郡治故鄣三十七年東遊還過吳從江乘渡望氣者言五百年後金陵有天子氣因鑿鍾阜斷金陵長隴以通流至今呼為秦淮乃改金陵邑為秣陵縣諸葛亮所謂鍾山龍蟠石城虎踞真帝王之宅漢取三代舊制置揚州統丹陽郡所領縣

邑有今浙西浙東二道及浙東道之半吳晉宋齊梁陳代加分割隋立蔣州唐以隸潤州又改昇州管屬始臨於舊南唐建金陵府縣邑猶更屬不常宋初為江寧府改建康府始定有江寧上元句容溧水溧陽之地東西二百三十五里南北四百六十里東抵鎮江東南抵常州南抵寧國西南抵太平西抵和州西北抵真州以大江中流為界

本朝應運肇基應天府實星紀斗牛之分且與二統之正相協自周以來數十年間

帝聖相承以至于今豈非曆數耶

目録

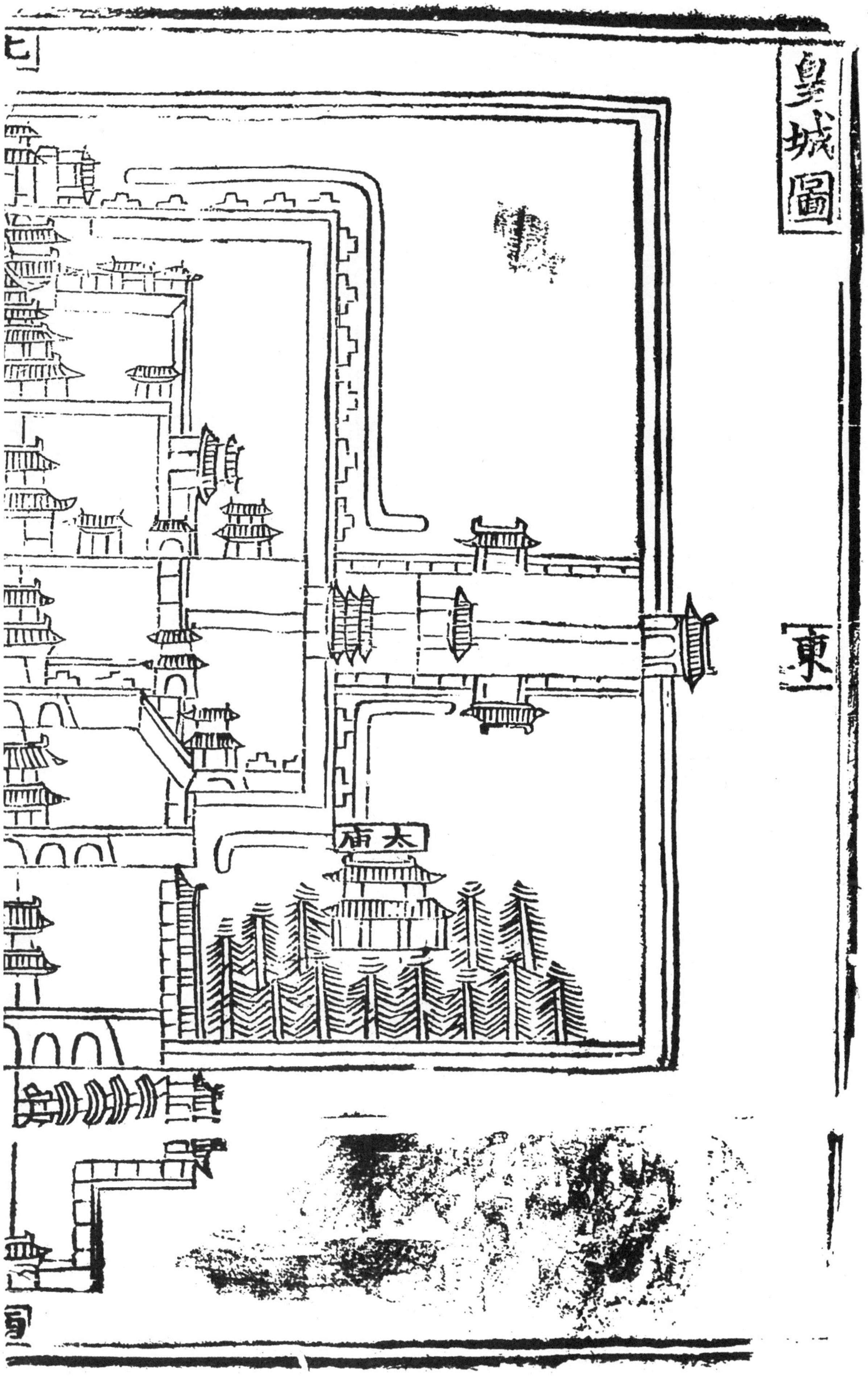

皇城圖

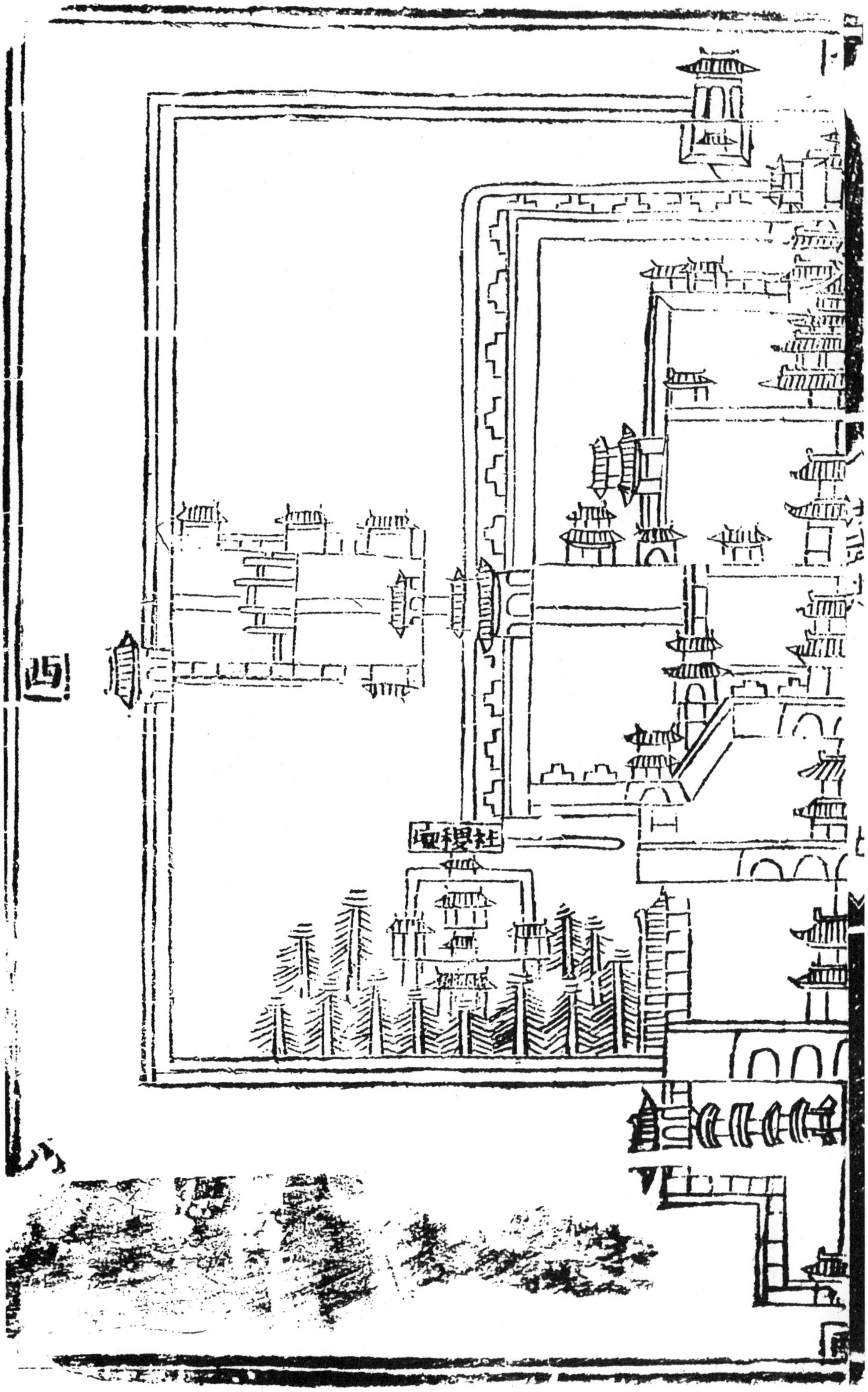

西

社稷壇

宮闕

殿

奉天殿

華蓋殿

謹身殿

奉先殿

武英殿

文華殿

乾清宮

坤寧宮

柔儀殿

春和殿

文樓

武樓

文淵閣

東角門樓

西角門樓

門

奉天門

東角門

西角門
中左門
中右門
後左門
後右門
左順門
右順門
武英門
文華門
春和門

午門
左掖門
右掖門
左闕門
右闕門
社街門
廟街門
端門
承天門
廟左門

社稷門
長安左門
長安右門
洪武門
東華門
東上南門
東上北門
東安門
西華門
西北門

西上南門

西上北門

西安門

玄武門

北上東門

北上西門

北安門

親蠶之門

城門

朝陽　正陽

通濟　聚寶

三山　石城

清涼　定淮

儀鳳　鍾阜

金川　神策

太平

外城門

滄波　高橋

上方　夾岡

鳳臺　大馴象

小馴象　大安德

小安德　江東

佛寧　上元

觀音　姚坊

仙鶴　麒麟

山川

鍾山

一名蔣山在城東北周迴六十里高一百五十八丈東連青龍山西接青溪南有鍾浦下入秦淮北接雉亭山漢末有秣陵尉蔣子文逐盜死事于此吳大帝爲立廟封曰蔣侯大帝祖諱鍾因改曰蔣山

石頭山

按輿地志環七里一百步緣大江南抵

秦淮　山上有城因以爲名吳孫權修理因改曰石頭城今城於其上甃以磚石雄壯險固甚得控制之勝

霞舟山

一名龍山一名龍舟山在今太平門内散塲北周廻三里高三十一丈北臨玄武湖狀若覆舟宋武帝又改名玄武山

鷄鳴山

舊名鷄籠山在覆舟山西周廻十餘里高三十丈狀如雞籠因名今改鷄鳴山

宋元嘉中立儒館於北郊命雷次宗居之今置國子學於山之左又建浮圖于上以祠寶誌

石灰山

在城西北三十里周廻三十里高十丈晉元帝渡江王導津幕府於此舊名幕府山上有虎跑泉仙人臺

獅子山

在儀鳳門北與馬鞍山接周廻十餘里高三十丈又舊名盧龍

國朝以其形名之

馬鞍山在清涼門與石頭城接西臨大江高十五丈以形似得之

青龍山在城東南二十餘里周迴二十里高九十丈

方山一名天印山在城東南三十里周迴二十餘里高一百二十六丈四面方正如

城秦始皇鑿方山長隴爲瀆入江曰秦淮吳大帝嘗爲葛玄立觀于此

聚寶山

在聚寶門外雨花臺側上多細瑪瑙石因名聚寶山金置欽天回回監于此

牛首山

舊名牛頭山狀如牛頭因名周廻四十餘里高一百四十丈一名天闕山中有石窟不測淺深在西南二十里劉宋南郊壇在焉

三山

在城西南四十餘里舊三山磯周迴四里三峯連出大江東岸高二十餘丈吳津濟道也太白詩云三山半落青天外即是

山川

大江

自京城西南来經西北東流入海

秦淮

舊傳秦始皇時望氣者言金陵有天子氣東游以厭當之鑿方山斷壟爲瀆入江故曰秦淮

玄武湖

亦名蔣陵湖秣陵湖在太平門外周廻四十里晋元帝所浚以習舟師又名北

湖宋元嘉中有黒龍見因改玄武湖有瀆西入于秦淮

太子湖

一名西池吳宣明太子所浚晉明帝為太子脩西池多養武士於内築土為臺時人呼為太子西池梁昭明植蓮於此在雞鳴山北

穩船湖

在儀寧門外國朝新開通江水於此泊舟以避風濤

清溪

吴赤烏四年鑿東渠名清溪通城北塹瀆以泄玄武湖水舊有九曲今上元縣南迤邐而西循舊内府東南出至府學墻下皆清溪之舊曲通秦淮其竹橋玄津昇平復成淮清栢川鼎新斗門西虹内橋會同等橋皆此水所通

太平隄

在太平門外

國朝新築以備玄武湖水其下曰貫城以刑部都

察院五軍斷事官在其西皆執法之司以天市垣有貫索星故名焉

玉㵎在蔣廟側緣山㵎是

東巒在鍾山宋熙寺基之東

竹篠港在觀音門外去城三十餘里

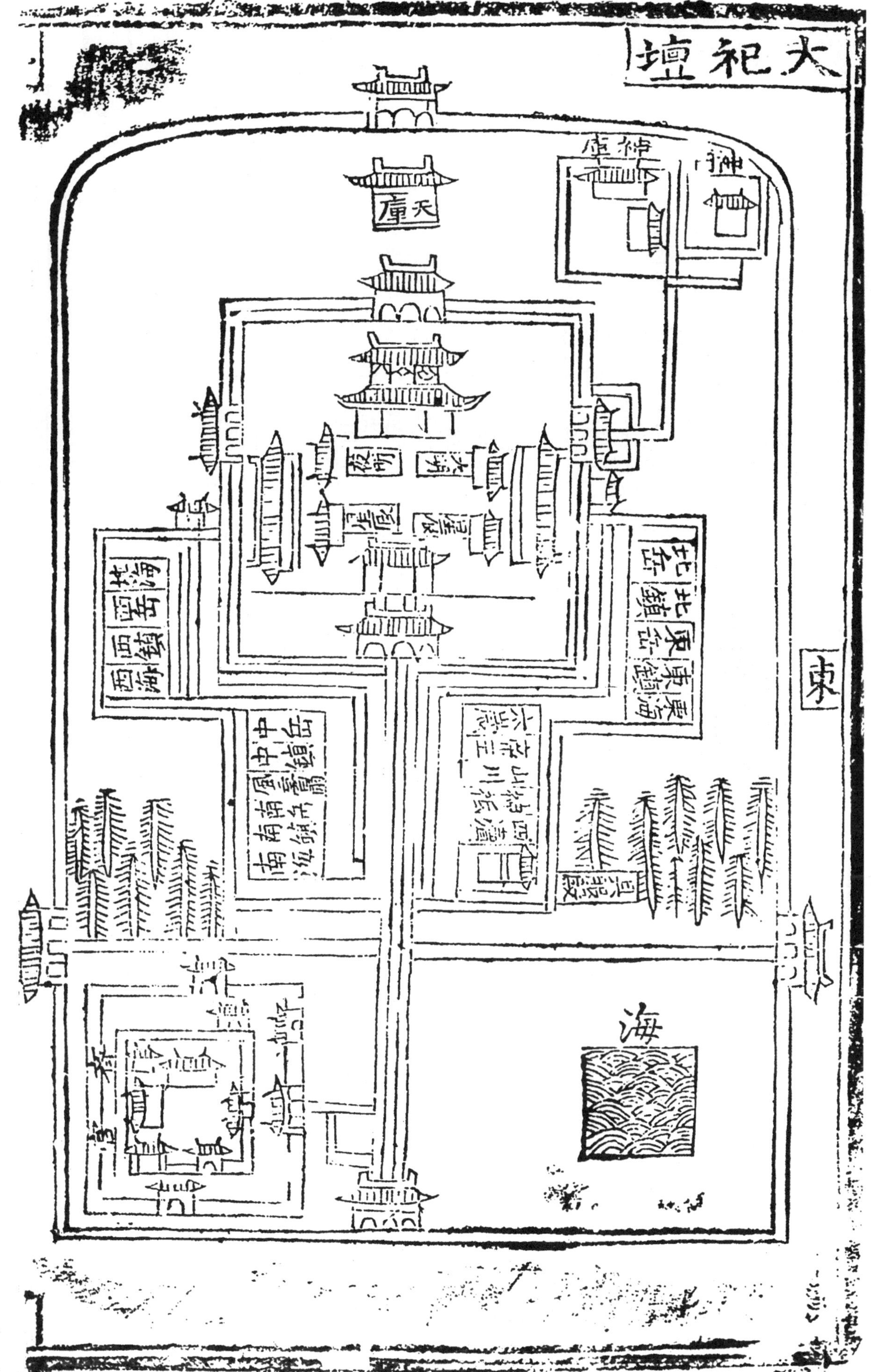
大祀壇
天庫
東
海

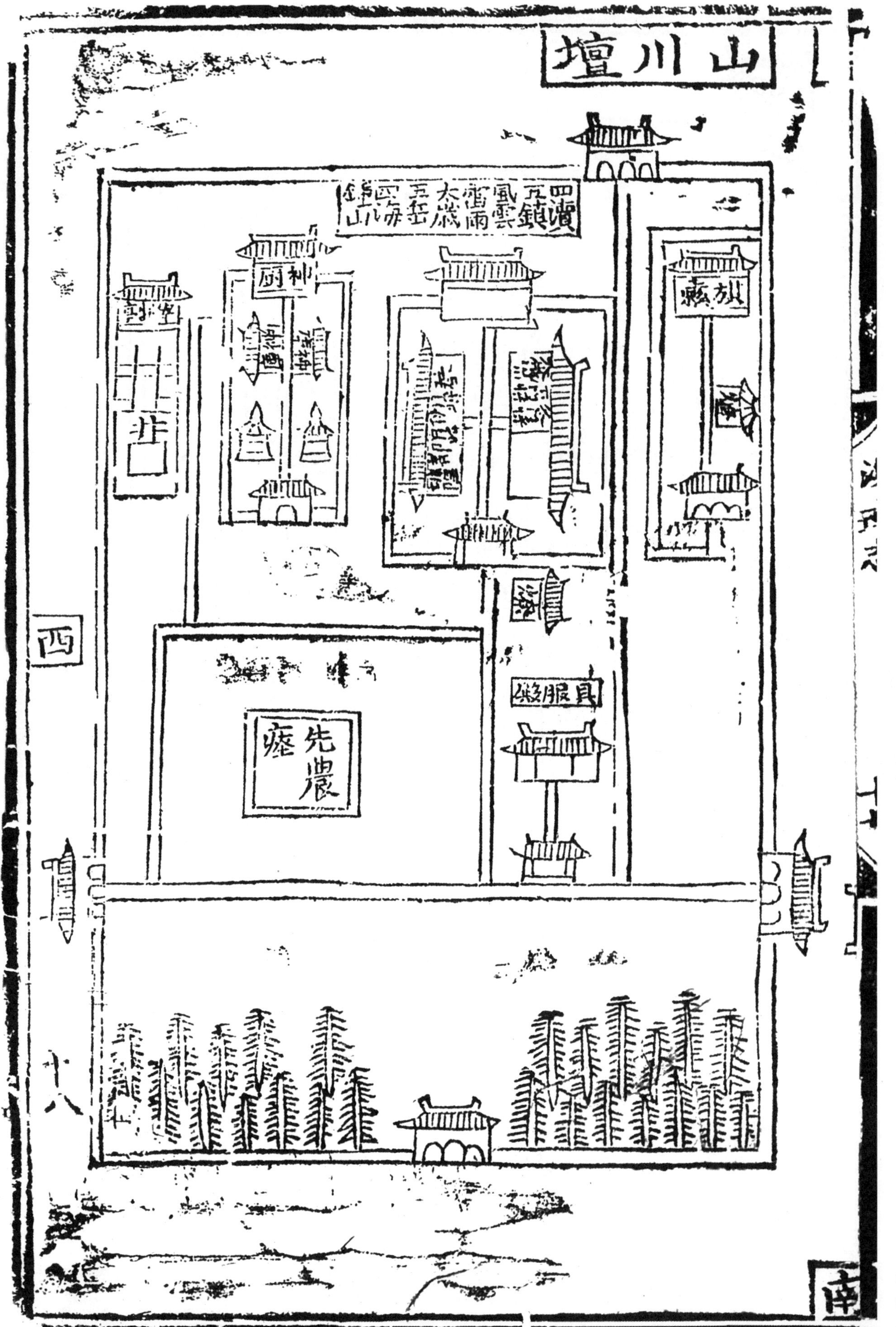
山川壇
四瀆
五鎮
風雲雷雨
太歲
神厨
先農壇
具服殿
西
南

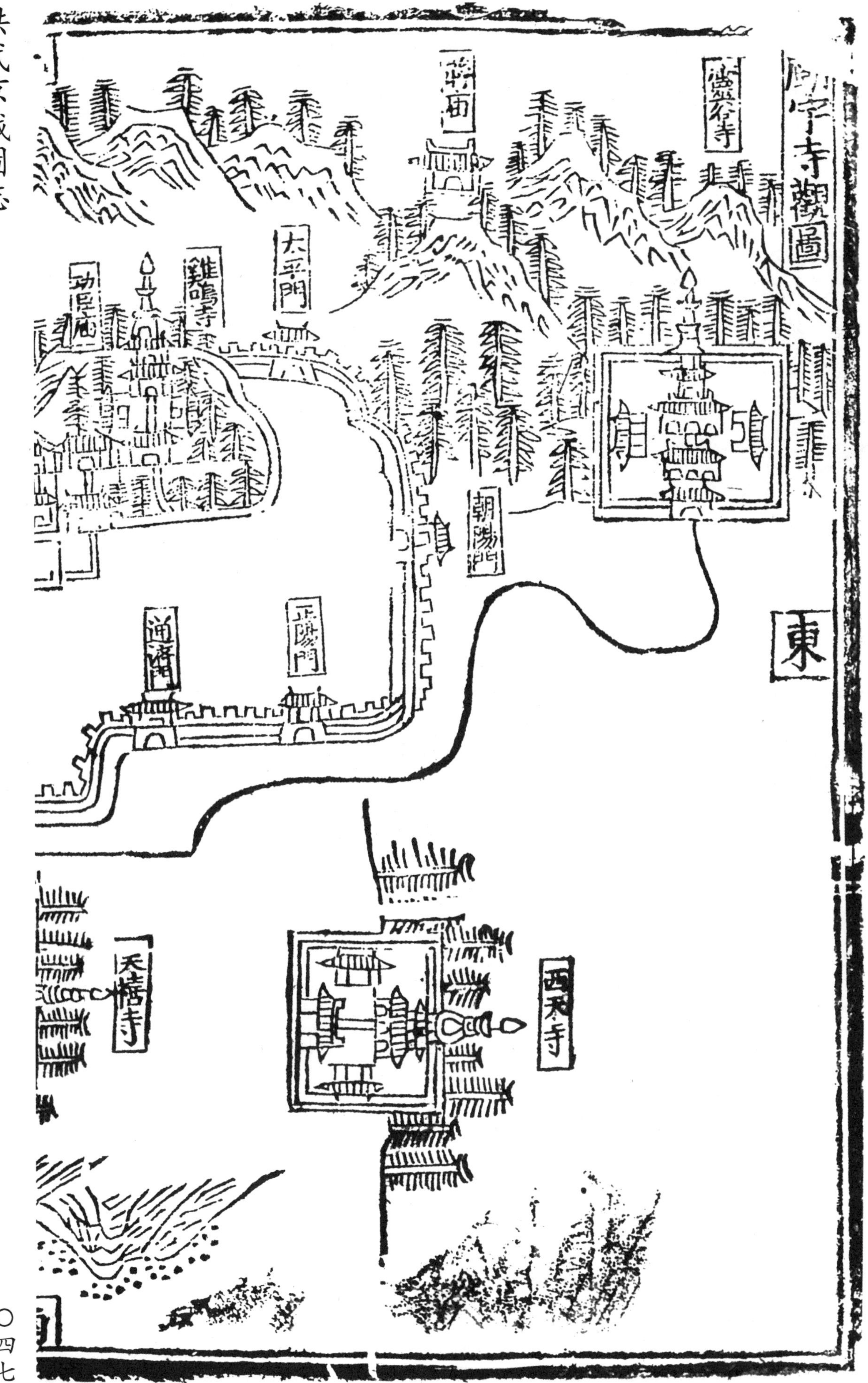
寺觀圖
東
蔣山
靈谷寺
太平門
雞鳴寺
功臣廟
朝陽門
通濟門
正陽門
天禧寺
西天寺

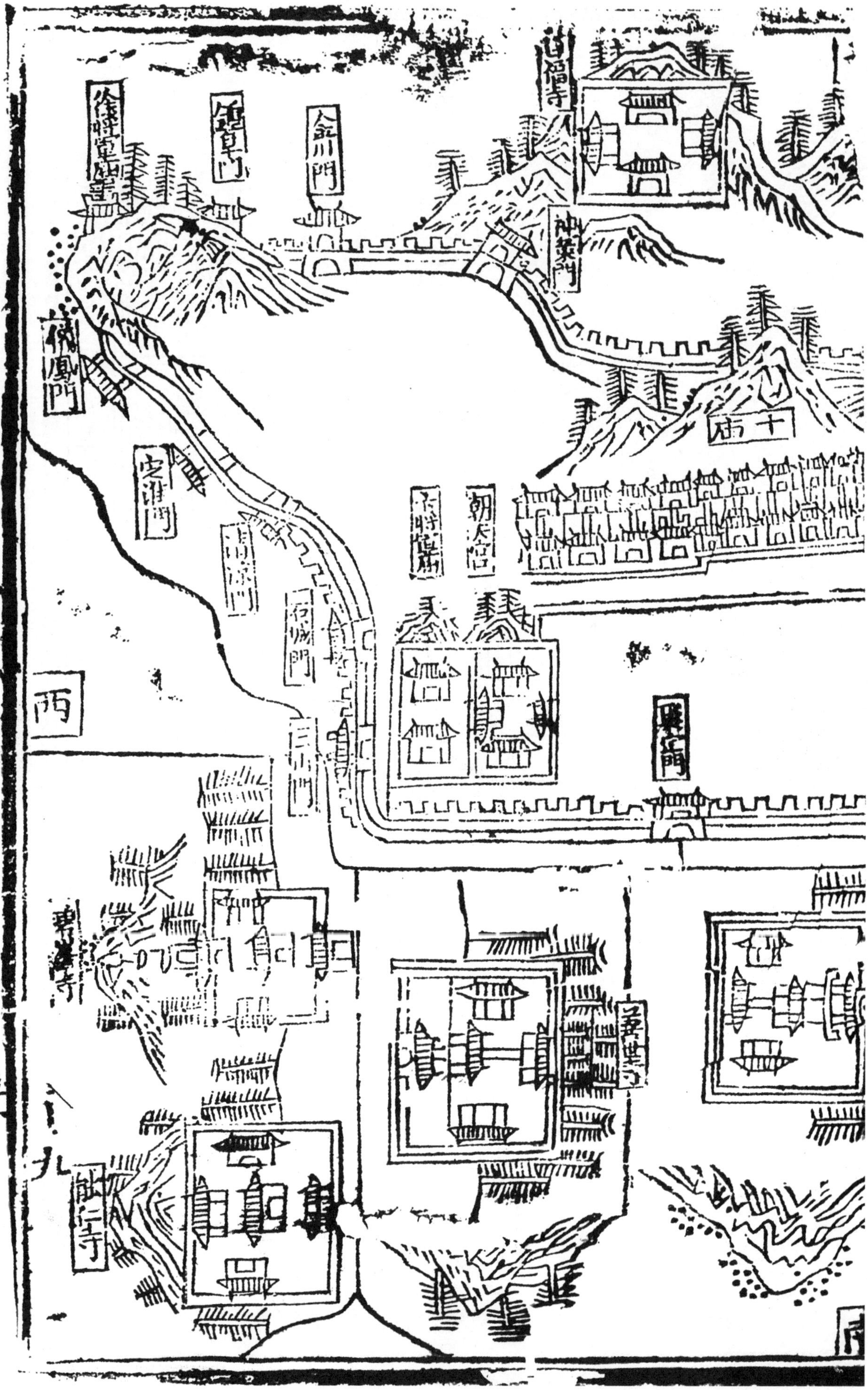

雞鳴寺
鍾阜門
金川門
神策門
儀鳳門
十廟
定淮門
清涼門
朝天宮
石城門
三山門
西
聚寶門
能仁寺

壇廟

天地壇

在正陽門外山川壇東按古以南北二郊分祭掃地以行事

國初嘗因之風雨寒暑屢致弗調

皇上斷自宸衷以王者父天母地無異祭之理乃以

天地合壇而祭配以

仁祖淳皇帝嚴以殿宇左右列壇以日月星辰岳鎮海瀆風雲雷雨山川太歲歷代帝王天下神祇

及有城隍之神祇祀禮意極殷足為萬世之制每歲率以正月中旬親祀至為簡當自此年穀順成禎祥疊見

社稷壇

在端門之右舊嘗分祭有乖禮意者多

皇上歷考古制互有不同以為五土生五穀所以養夫民者也分而祭之生物之意若無所歸於是合祭于一春祈秋報歲率二祀

大廟

在端門之左

龍江壇

國朝新建在金川門外凡

行幸出師親王之國則祀于此

帝王廟

國朝新創凡古之聖帝明王下及歷代開基創業之君制治保邦之主能遺法於後世者皆於此祀之廟在鷄鳴山陽

城隍廟

南唐在城西北元在大街

國朝初建斗門橋東今在鷄鳴山南

真武廟

宋太平興國二年置在清化寺東今徙

雞鳴山南

卞壼廟

即卞將軍廟舊在朝天宫西冶城晉蘇

峻作亂尚書令卞壼與其二子盱眕死

難人謂忠孝萃于一門南唐保大中始

建忠貞亭於其墓北宋慶曆改亭曰忠

孝胡銓作記

國朝建置雞鳴山南

蔣忠烈廟

舊在蔣山之西北神蔣姓名子文漢秣陵尉逐盜至鍾山爲賊所傷死而爲神甚有異迹在人吳大帝爲立廟歷代皆祀之

國朝建于雞鳴山南

劉越王廟

舊在上元縣東相傳南唐劉仁贍廟也

國朝建置雞鳴山南

曹武惠王廟

舊在聚寳門外王諱彬謚武惠宋開寳

中統兵平江南不殺一人邦人感之為

立祠

國朝建置雞鳴山

元衛國公廟

公名福壽元末為南臺大夫

天兵下建康死之謚曰忠爾

國朝為立祠雞鳴山南春秋祀焉

功臣廟

國朝建雞鳴山南凡本朝開國元勳功在社稷

及生民者則祀於此

五顯廟

今建在雞鳴山

關羽廟

舊在針工坊宋慶元年間建今徙雞鳴

山南

徐將軍廟

在獅子山

晏公廟

在定淮門外

無祀鬼神壇

在神策門外

寺觀

靈谷寺

梁之開善寺唐改寶公院南唐改爲開善道場宋改太平興國寺今名靈谷寺徙鍾山東南

雞鳴寺

在雞鳴山

國朝新建置寶公塔於寺後之山巔

百福寺

在石灰山東

國朝所建

善世寺

元龍翔寺在會同橋北今改善世寺徙聚寶門外能仁寺東崇定林寺基

天禧寺

即古長干寺宋名天禧寺在聚寶門外有塔今名因之

能仁寺

舊在應天府學西劉宋建名報恩寺唐改為興慈院宋改為能仁寺今因

徙聚寶門外善世寺西

碧峰寺

在聚寶門外能仁寺北

國朝所建

西天寺

在聚寶門外天禧寺東

國朝新建

鐵塔寺

在朝天宮後岡上宋太始中建號延祚寺唐時建塔寺內宋名寺曰正覺塔曰

晋熙今有塔無寺

朝天宫

在建安坊西吴冶城晋西州宋總明觀楊行密建紫極宫宋改天慶觀元改永壽宫今名朝天宫卞壼廟在其西謝公墩在其北

神樂觀

在正陽門外

大祀壇西

國朝新建以居髙道爲樂舞生者大祭祀俾之

書

盧龍觀

國朝新建

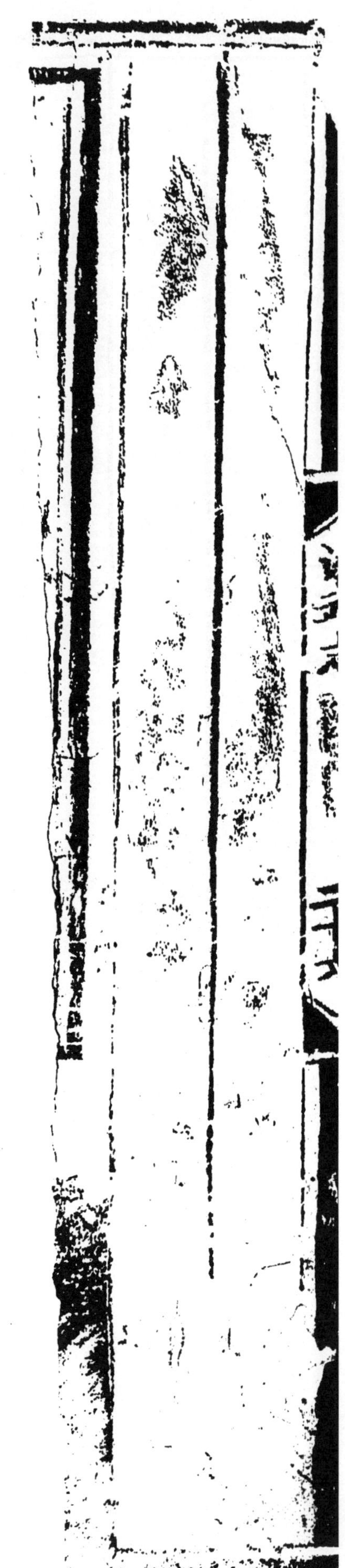

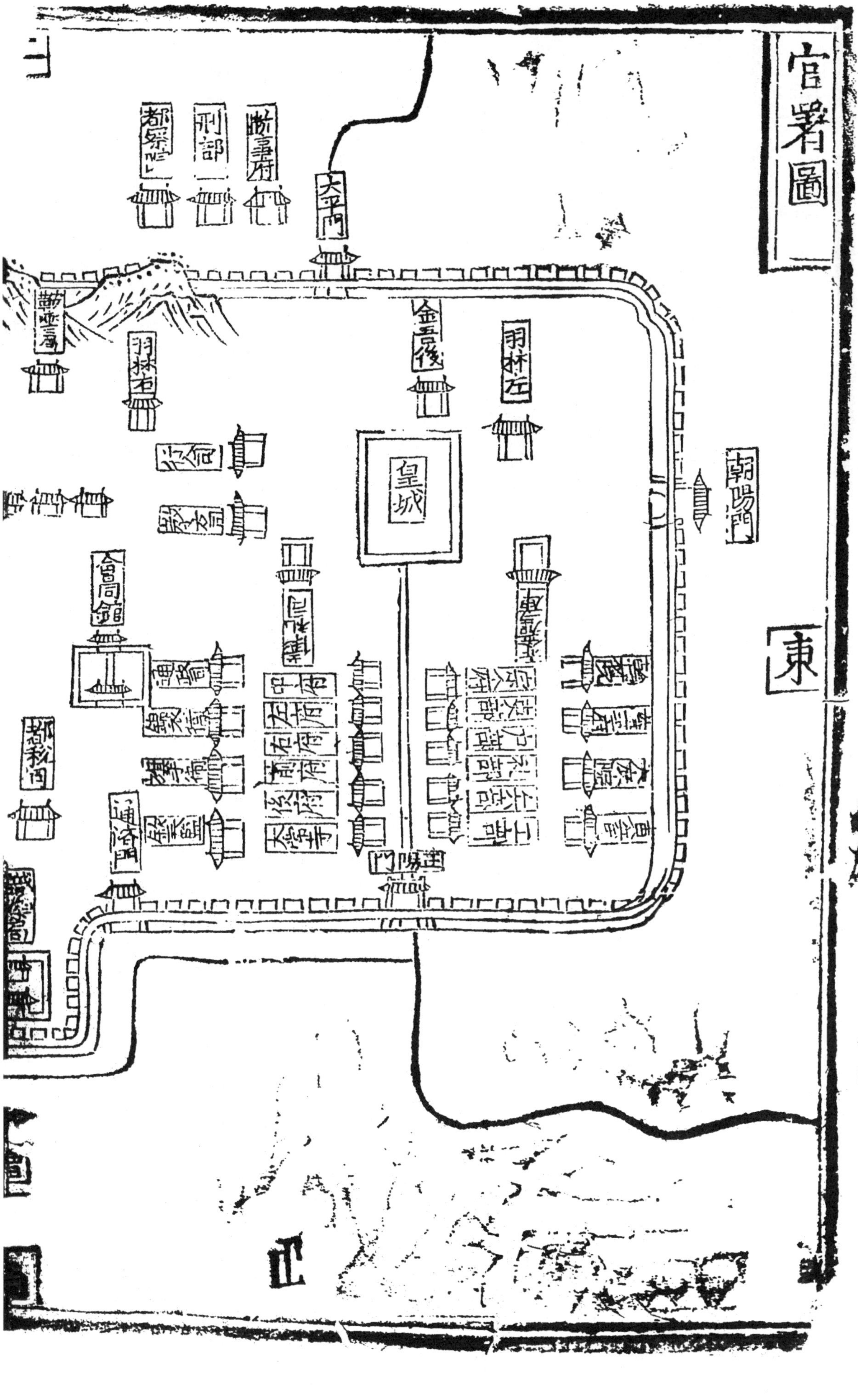

官署圖

太平門
斷事府
刑部
都察院
金吾後
羽林左
羽林右
皇城
朝陽門
東
會同館
通濟門
正陽門
宗人府
吏部
戶部
禮部
兵部
工部
太常寺

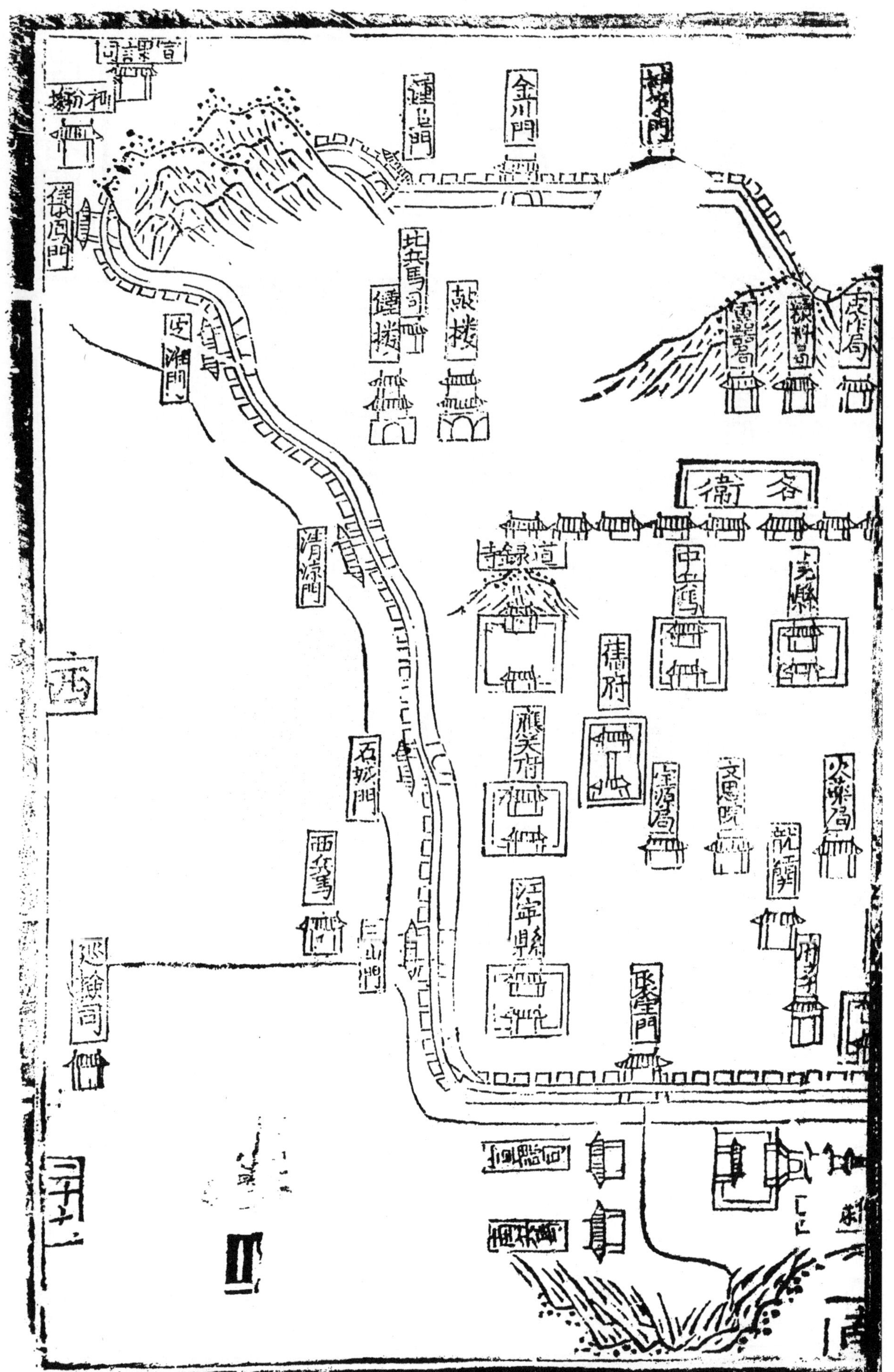
宣課司
神樂觀
金川門
鍾阜門
儀鳳門
定淮門
兵馬司
鐘樓
鼓樓
清涼門
石城門
西倉
三山門
巡檢司
道録寺
各衛
中馬
上元縣
儒府
應天府
江寧縣
聚寶門
寶源局
文思院
火藥局

官署

文職

宗人府

在承天門外御街東

六部

吏部

在宗人府南

戶部

在吏部南

禮部
在户部南

兵部
在禮部南

工部
在兵部南

刑部
在太平門外

都察院
在太平門外

五城兵馬司

中城

在今內橋北六朝舊內門基

東城

在工部東

西城

在三山門外西關北街

北城

在更鼓樓北

南城

志 帥

在聚寶門外

上元縣

宋在城東隅今仍舊治

江寧縣

舊在聚寶門外西街越城之側今徙銀

作坊内係舊府治

行人司

在會同館西北

儀禮司

在長安街西南

通政司

在長安右門外公生門南

太常寺

在後軍都督府南

詹事府

在翰林院南

應天府

在舊內西錦綉坊內元御史大夫宅

光祿寺

在內城西

翰林院

在長安左門外公生門南

太醫院

在詹事府南

欽天監

在太常寺西其測候臺在雞鳴山

欽天回回監

在聚寶門外其測候臺在聚寶山

五軍斷事官

在太平門外

僧錄司 在天禧寺

道錄司 在朝天宮

鑄印局 在禮部門内南

文思院 在大中街西

營繕所 在栢川橋北

宣課司

一在聚寶門外

一在龍江關

都税司

在大中街

巡檢司

一在江東渡

一在龍江渡

茶引所

在都税司東

抽分場

一在瓦屑壩

一在龍江關

教坊司

在行人司南

武職

五軍都督府

中軍都督府

在

承天門外御街西

左軍都督府

在中軍都督府南

右軍都督府

在左軍都督府南

前軍都督府

在右軍都督府南

後軍都督府

在前軍都督府南

十二衛

錦衣衛

旗手衛
金吾前衛
金吾後衛
羽林左衛
羽林右衛
府軍衛
府軍左衛
府軍右衛
府軍前衛
府軍後衛

虎賁左衛

在京各衛

神策衛

虎賁右衛

驍騎右衛

天策衛

豹韜衛

飛熊衛

鷹揚衛

廣武衛

興武衛
英武衛
龍驤衛
留守中衛
留守左衛
留守右衛
留守前衛
留守後衛
瀋陽左衛
瀋陽右衛

龍江左衛

龍江右衛

水軍左衛

水軍右衛

廣洋衛

龍虎衛

鎮南衛

江陰衛

應天衛

和陽衛

武德衛

橫海衛

教場在覆舟山南即晉成帝北郊壇基

文武官朝房在長安街左右門外南北街

庫司局

鑾駕庫　在長安左門外

軍儲倉　在鼓樓西馬鞍山下及各衛營

黄冊庫　在玄武湖洲上

火藥局　在淮清橋街北舊馬公祠基

寶源局

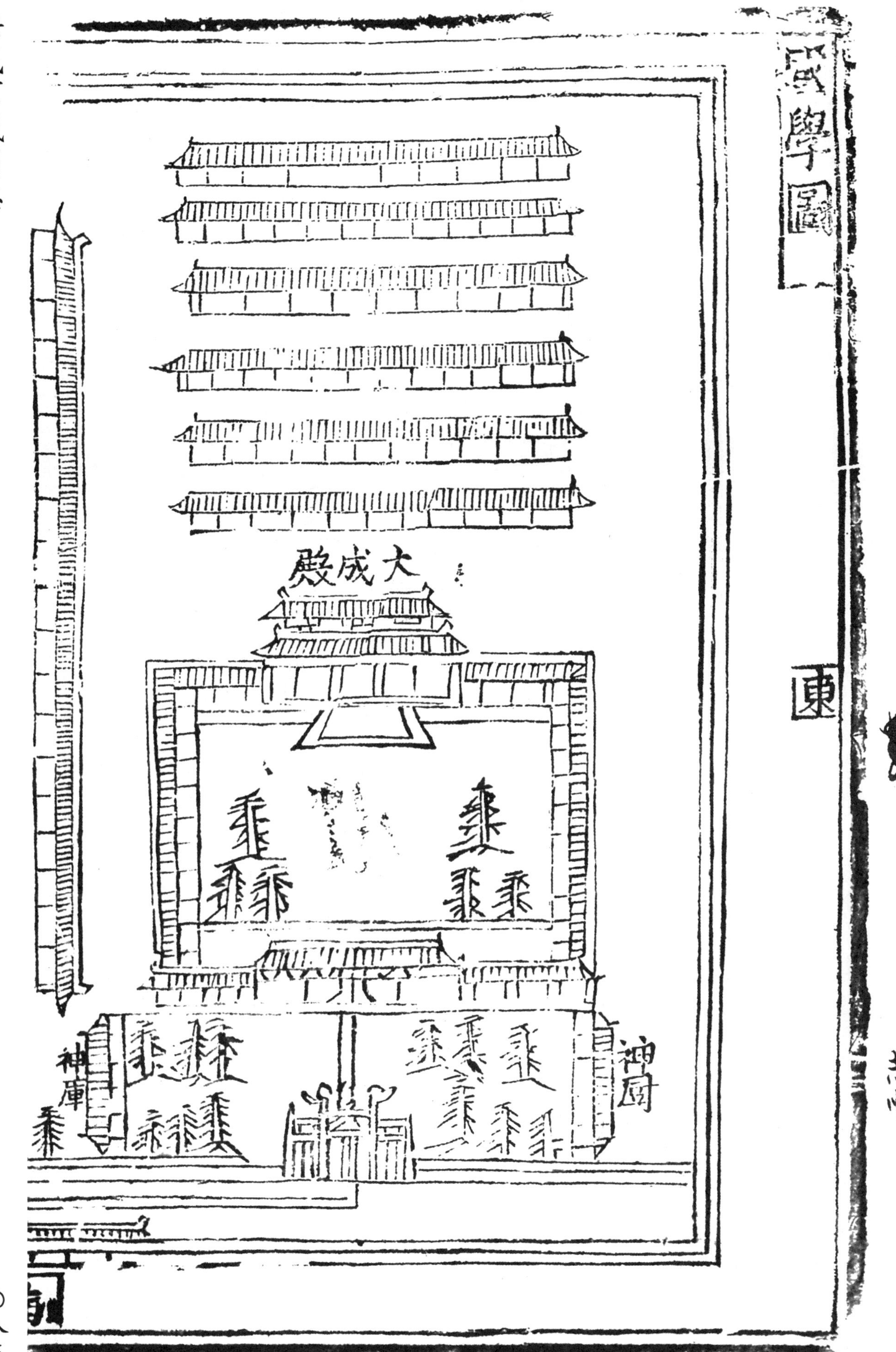
國學圖
大成殿
東
神庫
神厨

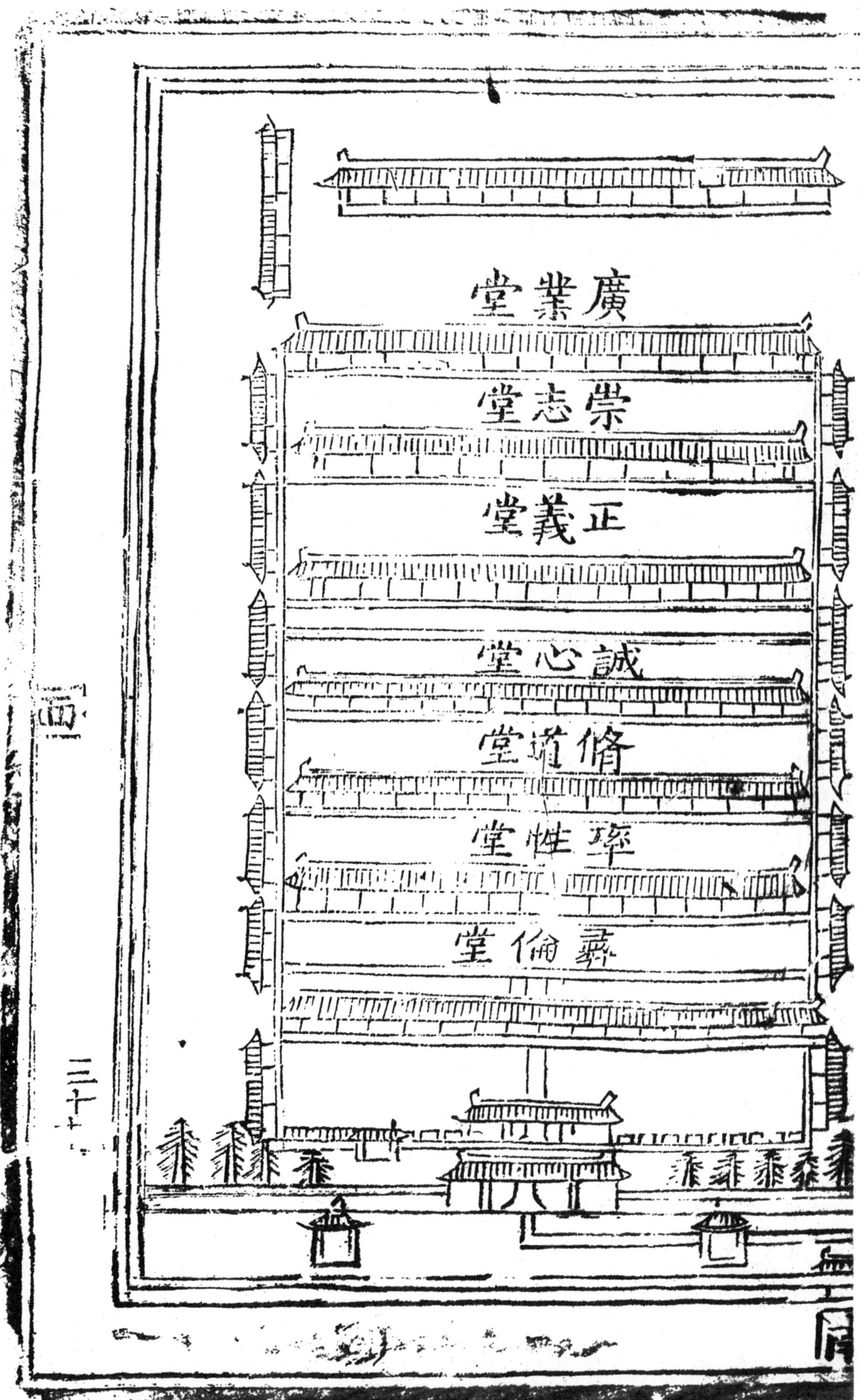
廣業堂
崇志堂
正義堂
誠心堂
脩道堂
率性堂
彝倫堂

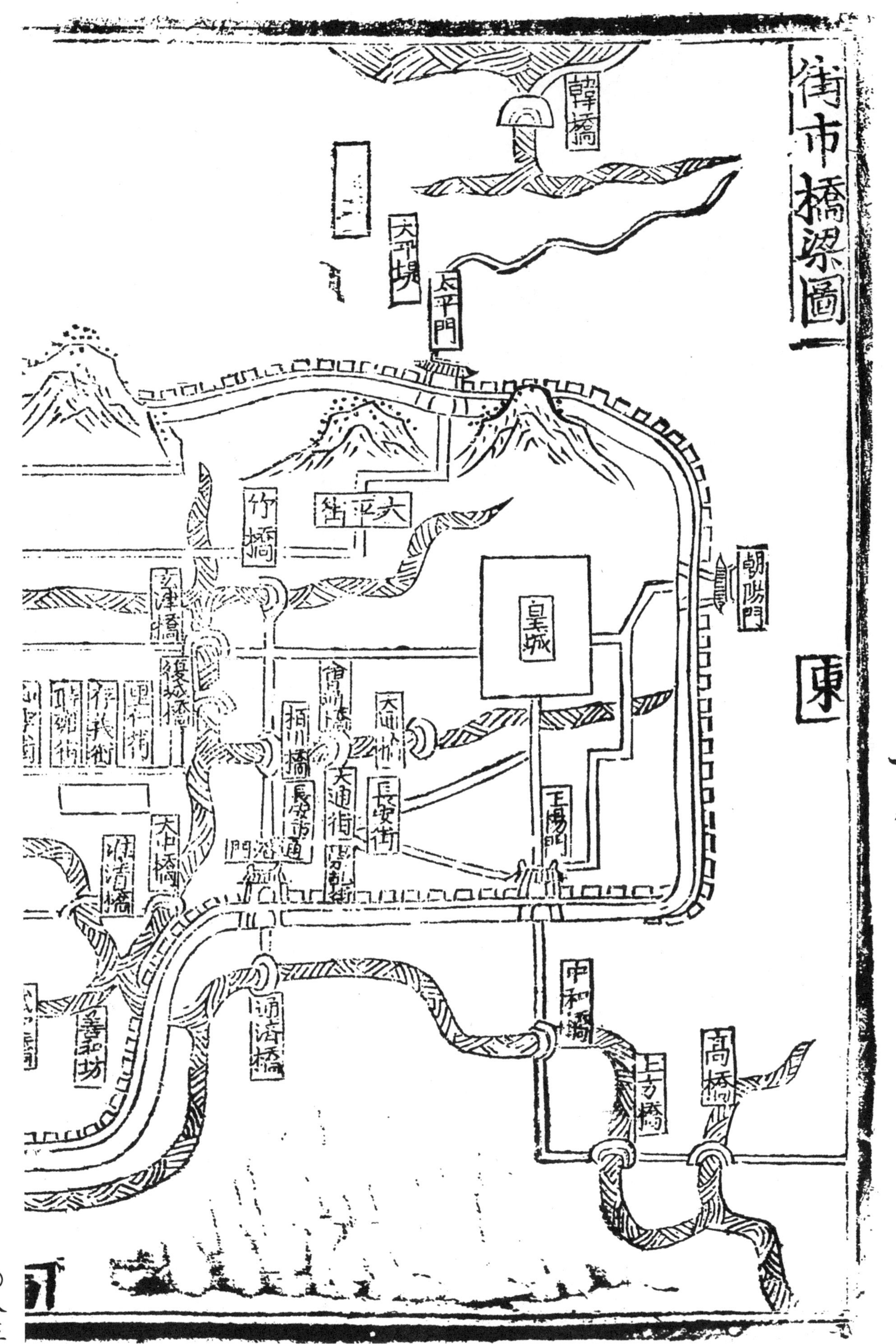
街市橋梁圖
東
韓橋
太平堤
太平門
太平街
竹橋
玄津橋
復成橋
朝陽門
皇城
長安街
大通街
長安街
洪武門
大中橋
通濟橋
中和橋
上方橋
高橋
善和坊

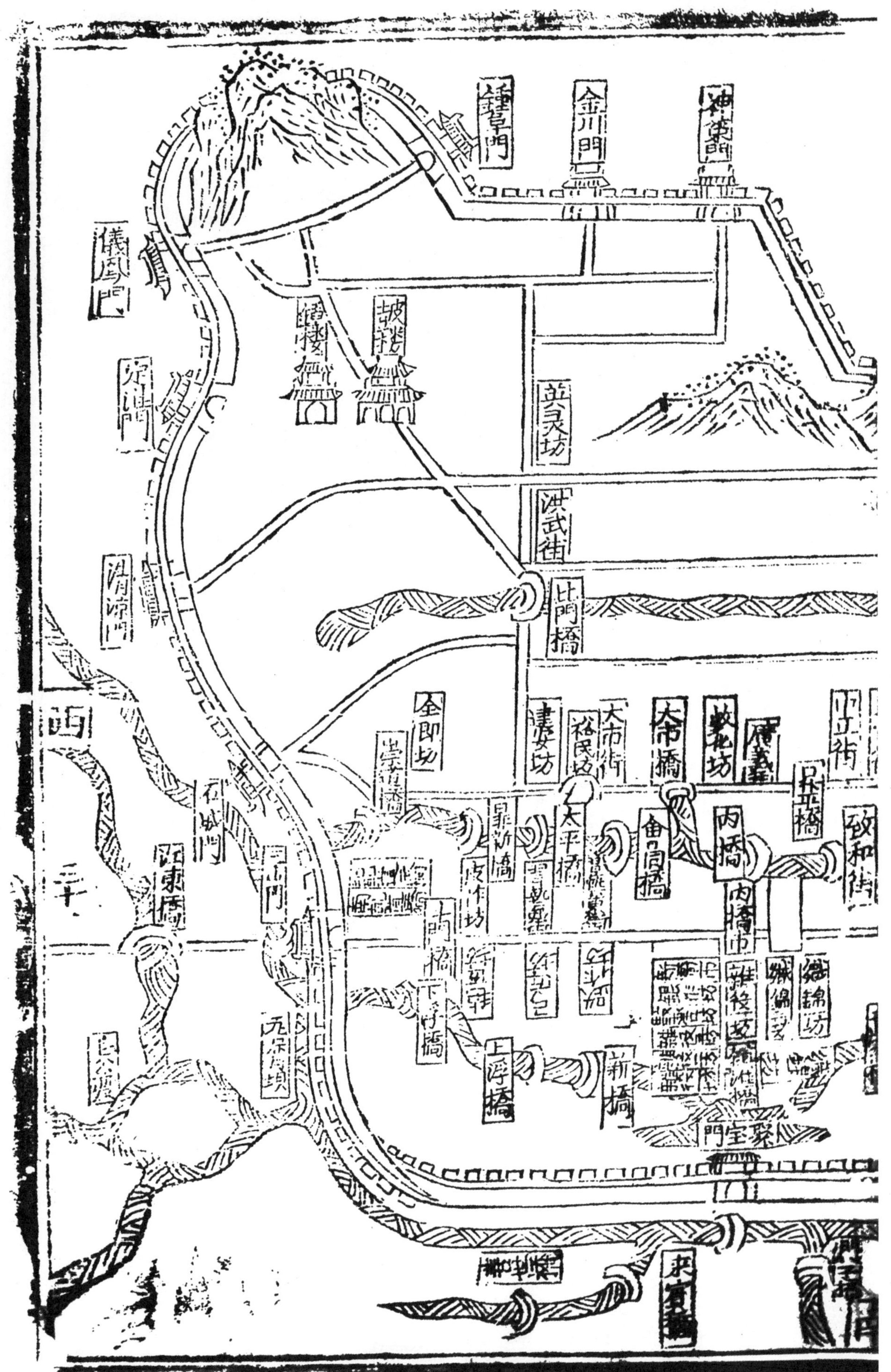
鍾阜門
金川門
神策門
儀鳳門
定淮門
清涼門
石城門
三山門
鐘樓
鼓樓
洪武街
北門橋
大市街
大市橋
太平橋
會同橋
內橋
致和街
新橋
上浮橋
下浮橋
聚寶門
西

橋梁

大中橋

即古之白下橋也在通濟門裏今名大中橋

淮清橋

在大中橋西南一里淮水舊名東水閘今名淮清橋

鎮淮橋

在聚寶門裏吳時玄津橋也名曰朱雀航今名鎮淮

新橋　今在雜役一坊驍騎衛口本名萬歲橋又改名飲虹橋新橋乃吳時所名至今俗呼爲新橋襲其舊也

内橋　舊名天津橋又名飲虹橋即六朝舊内門也在宋行宫前今名内橋在中城兵馬指揮司西南

太平橋　在鼎新橋東與建安坊相對舊名欽化

又呼笪橋古傳茅山笪宗師所建宋改
太平橋今因名之
鼎新橋
在太平橋西舊名小新橋宋改鼎新今
因名焉
大市橋
在中城兵馬司西舊名西虹橋今名大
市橋
會同橋
在大市橋南舊名閃駕橋亦名景定橋

今名會同橋跨運瀆水

昇平橋

舊名東虹橋在上元縣西今名昇平橋

乾道南北二橋

在今斗門橋北二橋相望即古運瀆水道今仍舊名

高橋

在通濟門外吳皋伯通所建因名其橋曰皋後人轉皋爲高今因之

斗門橋

志仁

今在三山街近三山門即運瀆水關今仍舊名

崇道橋

在朝天宮東今仍舊名

大通橋

在今長安西門外金水河所出

通濟橋

在通濟門外即古運瀆秦淮水也今仍舊名

武定橋　在今織錦三坊内今仍舊名

中和橋　在正陽門外

江東橋　在今江東門外

来賓橋　在今聚寶門外

善世橋　在今聚寶門外来賓街西南

珎珠橋　珎珠因名焉

韓橋　在覲音門外去城東北三十里

重譯橋

在聚寶門外東重譯街即古烏衣巷朱
雀橋也今名重譯

上浮橋
在新橋西

下浮橋
在上浮橋西北

長安橋

在聚寶門外古長干橋五代楊溥城金陵鑿濠引秦淮繞城今名長安橋

玄津橋

在

復成橋北

竹橋

跨清溪水上在

對栢川橋北通太平門

栢川橋

志XX

在通濟街

復成橋

在玄津橋南既徼而復成之因以名焉

北門橋

在洪武街舊北門口

高橋

在上方橋東南

上方橋

在中和橋東南

毛翁渡

在聚寶門外尾肩埧南晋顧榮與陳戰於此處榮以白毛羽扇麾軍因名麾扇渡後訛稱毛翁渡今名因之

江東渡

在江東門外舊名平家圩渡今名江東渡

尾肩埧

舊毛翁渡

街市

長安街 在皇城西長安門外即舊白下橋東

大通街 在大中橋東南接通濟門北通竹橋

里仁街 在大中橋西宋程明道張南軒書院故基今名里仁街

存義街

在里仁街西宋上元縣學故基

時雍街

在存義街西

和寧街

在時雍街西

中正街

在和寧街西

廣藝街

在上元縣西舊名細柳坊一名武勝坊

敦化坊

在中城兵馬司西六朝内城基其西元建龍翔寺今天界寺故基

裕民坊

在太平門北街舊真武廟街

建安坊

在興新橋北街俗呼下街

善政坊

在太中橋西舊名九曲坊

務公街

在善政坊西舊名清溪坊

致和街

在務公街西舊清平橋街

大市街

在中城兵馬司故天界寺門外舊名夾道街

全節坊

在朝天宫西舊名忠孝坊，首卞壼死節處，今名全節坊

織錦一坊

在聚寶門内舊桐樹灣街

織錦二坊
在鎮淮橋北舊國子監街

織錦三坊
在織錦二坊北舊閔王廟巷

大中街
在針工坊北舊狀元坊

雜役一坊
在聚寶門內鎮淮橋南沙河街

雜役二坊
在鎮淮橋北舊竹街

雜役三坊

在雜役二坊北舊建業坊

鞍轡坊

在雜役三坊北

銀作坊

在鞍轡坊北舊金陵坊

鐵作坊

在弓匠坊東舊小木頭街

弓匠坊

在鐵作坊西舊攀子巷

氈匠坊 在弓匠坊西舊水道巷

習藝東街 在習藝西街東

習藝西街 在皮作坊東舊土街

皮作坊 在習藝坊西舊評事街

洪武街 在北門橋東

英靈坊

在十廟西

成賢街

在國學前

太平街

在太平門南

大市

在大市街舊天界寺門外物貨所聚

大中街市

在大中橋西

三山街市

在三山門内斗門橋左右時果所聚

新橋市

在新橋南北魚菜所聚

来賓街市

在聚寶門外竹木柴薪等物所聚

龍江市

在金川門外柴炭等物所聚

江東市

在江東門外多聚客商船隻米麥貨物

北門橋市

在洪武門街口多賣雞鵝魚菜等物

長安市

在大中橋東

内橋市

在舊内府西聚賣羊隻牲口

六畜場

在江東門外買賣馬牛驢騾猪羊雞鵝等畜

上中下塌坊

在清涼門外屯集段疋布帛茶鹽紙蠟等貨

草鞋夾

在儀鳳門外江邊屯集排木

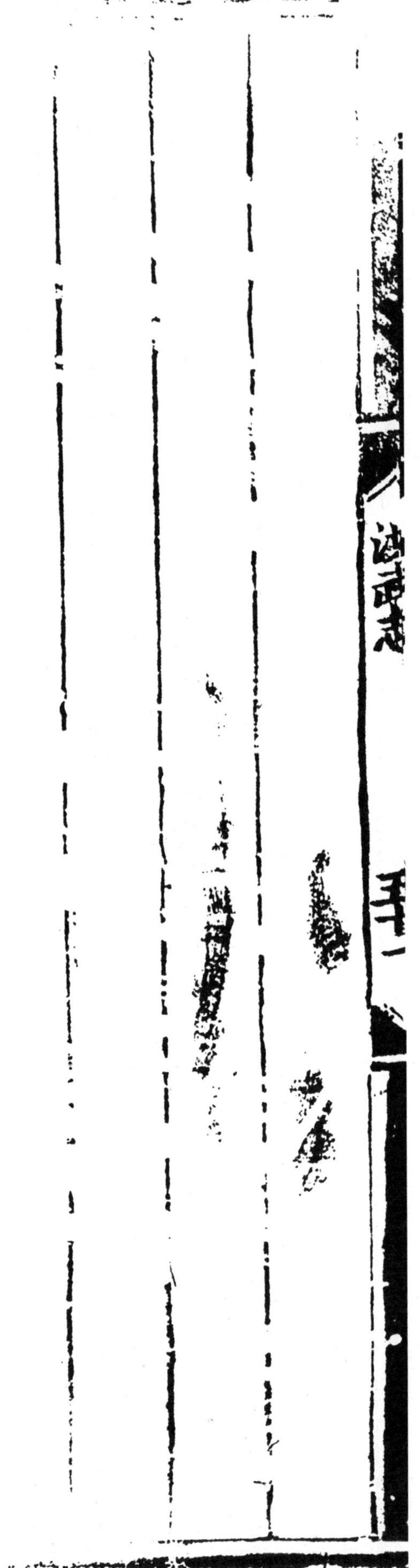

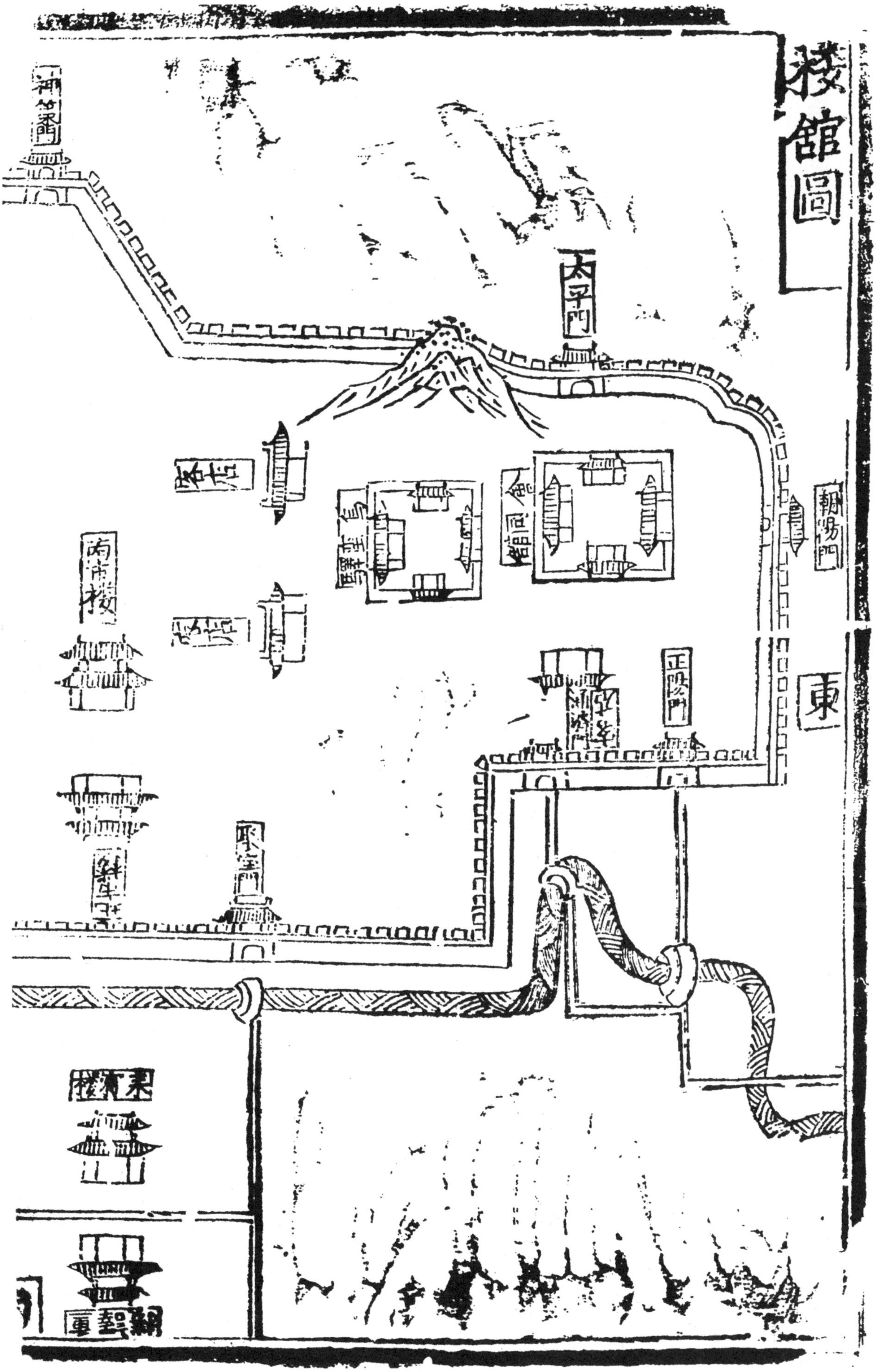

樓館圖

神策門
太平門
朝陽門
會同館
烏蠻驛
南市樓
正陽門
通濟門
東
聚寶門
來賓樓
重譯樓

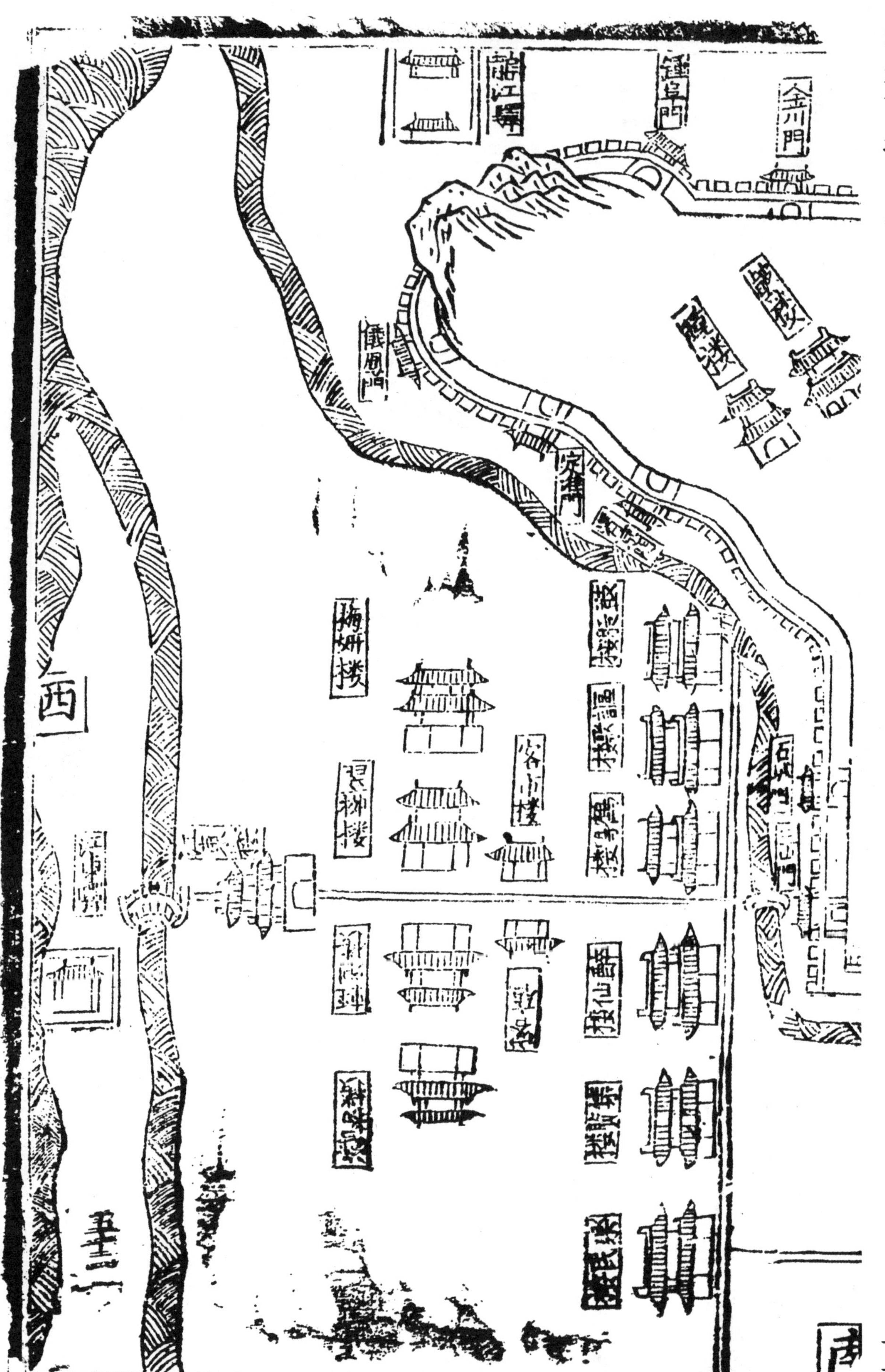
金川門
鍾阜門
龍江驛
儀鳳門
定淮門
清江門
石城門
鶴鳴樓
醉仙樓
謳歌樓
鼓腹樓
來賓樓
重譯樓
梅妍樓
翠柳樓
輕煙樓
淡粉樓
西

館

會同館　在長安街西四方進貢使客所居

烏蠻驛　在會同館西以待四夷進貢使人

龍江驛　在金川門外大江邉

江東驛　在江東門外大江邉

客店

一在長安街口

一在竹橋北

一在通濟街西

一在江東門內南北街以待四方客旅

鼓樓

在今北城兵馬司東南俗名為黃泥岡

鐘樓

在鼓樓西

酒樓

江東樓 在江東門西對江東渡

鶴鳴樓 在三山門外西關中街北

醉仙樓 在三山門外西關中街南

集賢樓

樂民樓 在尾䏺塡西樂民樓南

在集賢樓北

南市樓

在三山街皮作坊西

北市樓

在南乾道橋東

輕煙樓

在江東門内西關南街與淡粉樓相對

翠柳樓

在江東門内西關北街與梅妍樓相

對

㛹妍樓

在江東門內西關北街與翠柳樓相

十

澹粉樓

在江東門內西關南街與輕煙樓相

對

謳歌樓

在石城門外與鼓腹樓並

鼓腹樓

在石城門外與謳歌樓並

來賓樓

在聚寶門外來賓街與重譯樓相對

重譯樓

在聚寶門外與來賓樓相對

叫佛樓

在三山街北即陳朝進奏院故址宋改報恩光孝觀今即其地為叫佛樓

駱駝亭

在靈谷寺西南

郵鋪

一在通政司

一在鼓樓

一在應天府

一在安德門外

一在太平門外

養濟院

一在金川門外

富樂院

一在武定橋東南舊燕苑寺基

一在聚寶門外東街

柵欄

一在武定橋東

一在會同橋南

廐牧

牧馬千户所
在朝陽門外

馴象千户所
在正陽門外

養廂房
在聚寶門外

猪羊六畜圈

一在江東渡口

一在龍江渡口

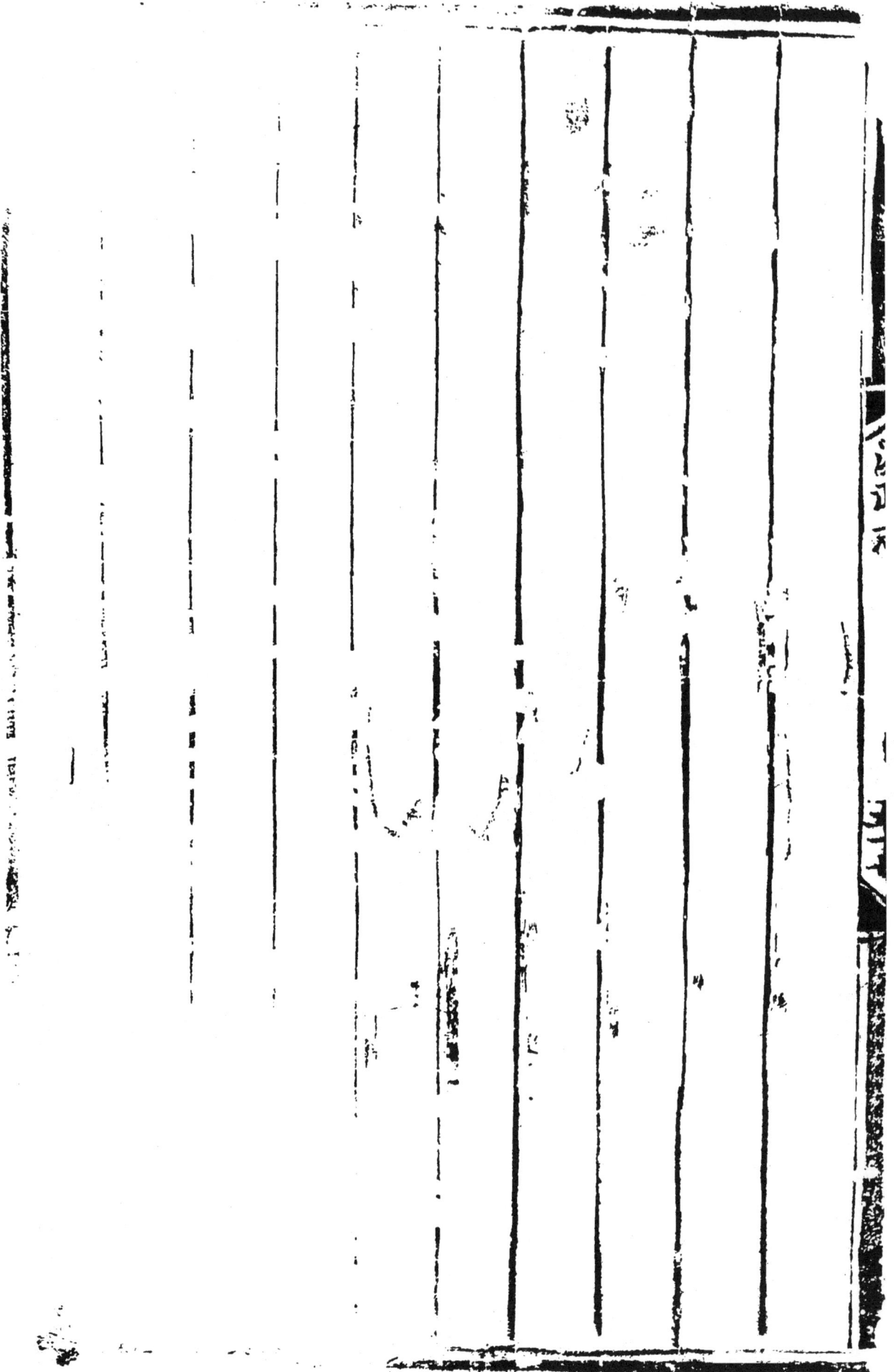

園圃

國家近年海運粮儲及隄防沿海倭寇其成造船隻所用桐油棕纜皆出於民為費甚重

皇上矜恤民力乃經營布置於朝陽門外蔣山之陽建立園圃廣植棕桐漆樹各數千萬株所以備

國家之用而省民供也

漆園

桐園　在桐園北

在漆園南

椶園

在桐園東

右

洪武京城圖誌一帙洪武中之所脩也

其於城郭宮室郊廟壇壝街衢樓館山

川橋道詳矣蓋我

太祖高皇帝

勅禮部為之以觀示天下欲使四海之内

遐陬荒服得而觀之咸知

神京天府之雄龍蟠虎踞之勝而有以識

紫蓋黄旗之運之有在於

今日彼區區六朝者誠不足以應之也始
鴻儒官
南都好訪求
高皇帝定天下時
神功聖德及當時謀臣戰將効奇殲力論議
攻取之詳而故老凋零無所於質後生
小子習聞俚談亦往往失實而不足述
摭獨時時從東南士夫游間得一二
而常遺八九殊可恨也弘治壬子於冗

人陳有功屢忽得此書雖未足以滿乎生之懷而金陵名勝之迹大抵得之矣豈非亦一快幸也哉江寧縣知縣朱宗博雅而好古者也見而悅之曰此正宗所願見而不可得者庸詎知海內之人有不同此心者乎請壽諸梓以廣其傳或他日學士大夫有欲賦

南都之盛者亦當有考於此鴻儒喜其用心之公而陳義之高也因恭題其後以

紀重刋之歲月云時冬十月四日承直
郎南京户部主事臣王鴻儒謹書

題洪武京城圖志後

歸有光

右京城圖志一卷洪武間奉勅纂修故鄉貢進士吴中英家藏辛卯之歲某赴試京闈中英以見示今二十有九年矣偶閱元御史臺所纂金陵志念今市朝改易無復六朝江左之舊因從吴氏再借此本觀之信分裂偏安之跡興混一全盛之規橅迴別如此自永樂移鼎儒臣附會以為高皇帝無再世之計也嘗伏讀御製閱江樓記云自禹之後四方之形勢有過中原而不都蓋天地生人氣運循環而未周朕當天地循環之初氣創基於此非

古之金陵亦非六朝之建業也道里之均萬邦之貢順水而趨公私不乏利亦久矣夫帝王所爲興天地應高皇帝之論蓋度越千古直有所謂配皇天毖祀上下自時中乂之意愚生自謂獨能竊知之與時俗所論建都者不同因特著於此歸太僕集

洪武京城圖志

朱緒曾

此明洪武初應天府京城圖志也首有承務郎右春坊右贊善王俊華記次為皇都及敘楚威王秦始皇吳晉宋齊梁陳隋唐南唐宋沿革目錄分宮闕城門山川壇廟官署學校寺觀橋梁街市樓館倉庫廄牧園囿十三門其圖有曰京城山川圖大祀壇山川壇廟宇寺觀圖官署圖國學圖街市橋梁圖樓館圖其文簡括明初建國規模瞭然在目鏤刻精工字仿趙松雪體共六十葉每半葉十行滿行十九字篇幅寬闊字大悅目其樓館圖在城

内者南市北市在城北在聚寳門外者來賓重譯在清涼石城三山門外者曰鼓腹謳歌鶴鳴醉仙集賢樂民梅妍翠柳輕煙澹粉共十四樓與陳魯南金陵世紀合晏鐸春夕詩花月春風十四樓楊升庵藝林伐山數樓名有清江石城而遺南市北市胡元瑞謂金陵有十六樓今按此圖清涼門外即鼓腹樓石城門外即謳歌樓且諸樓皆别立名何獨以石城清涼二門名其樓似爲不倫然則十四樓宜以南市北市爲正至李泰十六樓詩亦有清涼石城或此二樓後建故世紀亦不數之也若

志卅

駱駝亭在靈谷寺西南則為靈谷寺志者所未知矣姚世昌謂湯文振廣為帝里書更不可得見此圖志是明初印本古香觸手與宋元佳刻無異開有

益齋讀書志

洪武京城圖志一册明洪武時禮部奉敕所撰凡目十三圖六明初南都規模約具於是明祖定鼎金陵雖上承六朝南唐之緒然規恢宏偉遠非前代所可同日而語北拓儀鳳門西包烏龍潭固已迴軼楊李其外羅城周迴可二百餘里包鍾山孝陵其中往迹具在可以覆按宇內之所未有也成賢街之國學養士達萬人鍾山之陽建漆園桐園棕園廣植各樹晚近興學造林咸不出其遺址是則太祖之閎識尤不可及矣是書具載樓館街市壇廟官署所在不惟治史者得以擘索明都即今

日經營建設亦宜研閱以識前人之偉大而知所自力不必病其盭於政體也唯是書所志僅具梗槩世有好學深思之士爲之句稽故籍詳加注釋則徐星伯兩京城坊攷不得專美於前矣此本爲八千卷樓舊藏明弘治中王鴻儒翻雕本述之朱氏盛稱洪武本顧在明時即已罕覯則茲翻刊亦可珍也歸震川集開有益齋讀書志善本書室藏書志均有跋用坿卷末以備覽觀戊辰冬十有二月鎮江柳詒徵

金陵全書

甲編·方志類·府志

萬曆應天府志（一）

（明）程嗣功 修
（明）王一化 纂

南京出版社

提要

《萬曆應天府志》三十二卷，明朝程嗣功修，王一化纂。

元至正十六年（一三五六年），朱元璋攻克集慶路，改名應天府。明洪武元年（一三六八年），太祖詔以金陵為南京，大梁（今河南開封）為北京，實行南北兩京制。成祖永樂元年（一四〇三年），昇北平為北京，十八年（一四二〇年）遷都北京，南京成為陪都。萬曆間，應天府下轄上元、江寧、句容、溧陽、溧水、江浦、六合、高淳八縣。據《明一統志》載：『應天府東至鎮江府丹徒縣界一百三十里、西至和州界八十里、南至太平府當塗縣界八十五里、北至揚州府儀真縣一百五十五里、自府治至京師三千四百四十五里。』至清順治二年（一六四五年）改江寧府，未調整歸屬；雍正八年（一七三〇年）溧陽劃歸鎮江府，重新劃定了歸屬。

明萬曆初年，時任應天府尹汪宗伊與應天府學教授王一化討論修志事，由王一化及諸生陳舜仁等人纂輯。稿未成，汪宗伊晉昇禮部侍郎，后任府尹程嗣功繼之，主修編撰成稿《應天府志》，萬曆五年（一五七七年）上元縣丞範燧校刻。

汪宗伊（一五一〇—一五八六年），字子衡，別號少泉，武昌崇陽（今湖北崇陽）人。嘉靖十七年（一五三八年）進士，萬曆元年（一五七三年）任應天府尹，后累官至南京吏部尚書。酷好治史，才學淵博，有著作十餘種，其中有關南京的志書有《南京尚寶司志》、《南京大理寺志》、《南京吏部志》等。程嗣功（一五二五—一五八八年），字汝懋，號午槐，安徽歙縣槐塘人。嘉靖二十六年（一五七四年）進士，在應天府知府任上，主修《應天府志》。王一化，編修《應天府志》時，為官應天府學教授。

本志按序、凡例、目錄、應天府境圖、正文編次。採用郡紀、表、志、傳四種體例。凡例曰：『志中所載，皆據史冊，《一統》、《金陵》、《南畿》各邑等志。』取捨嚴謹。記載明代典章制度、金陵往事，亦與史傳相合無謬。如《郡紀》引《金陵志》、《水經注》、《荊州記》諸書以證揚州之三江。又引宋《景定志》及《通鑒注》，謂丹陽治所即漢之宛陵，從而證明舊志之誤。對沿革、戰爭敘述尤詳。本志在清順治年間（一六四四—一六六一年）被知府林天擎用作底本，稍作修改，刊為順治《江寧府志》，后佚。

本志版式：九行二十字，白口，單魚尾。其中卷六《歷官表》、卷九《封爵表》、卷十《科貢表》等處，有增補内容。如：卷六府尹題名至萬曆二十年，府丞題名至萬曆十九年。明末，本書流傳至日本。據日本幕府紅葉山《禦文庫目錄》所述：一六三九年前收集的方志有《大明一統志》、《廣輿記》、《萬曆應天府志》。現藏於日本内閣文庫。中國書店一九九二年《稀見中國方志匯刊》影印本、齊魯書社一九九七年《四庫全書存目叢書》影印本皆系明萬曆五年（一五七七年）刻，明萬歷二十年（一五九二年）增修本。

本志底本選用中國國家圖書館藏明萬曆五年刻、明萬歷二十年增修本，首次原大影印出版。對於國圖本中部分闕漏内容據中國書店版《稀見中國地方志匯刊》影印本補正。本書出版為研究明代歷史和南京地方史提供了宝贵的文獻史料。

王　玲

應天府志序

應天府

高皇帝故都在焉文獻甲於天下而府未有專志非所以示宫

方翊

皇極也仰惟

高皇帝統一寰區實始事於兹域

本序原本闕，現據中國書店版《稀見中國地方志匯刊》影印本校補。

迨神鼎既奠兵革四出率倚
辦於邦人者爲多故
登極之後蠲租
詔令靡歲不下且曰子孫百世何
忘江左之民豈獨
日月之際宜首耀於光明抑以疆
幹翳支隆上都而觀萬國也

本序原本闕，現據中國書店版《稀見中國地方志匯刊》影印本校補。

文皇帝繼統雖移都北平而二京
竝建比於豐鎬葢其重如此
今推擇大京兆必
天子之重臣而佐以下若屬咸簡
銅墨以充之所欲閔念元元
而建首善於天下者意甚厚
也第

本序原本闕，現據中國書店版《稀見中國地方志匯刊》影印本校補。

京師綰四方之轂民俗龐雜而
大京兆又
天子重臣諸公卿鈌或不滿歲輒
遷補之夫欲為深根固柢之
圖而以程功於朞月自非覽
觀得失之林以自考鏡焉豈
易辦哉少泉汪公歲甲戌來

本序原本闕，現據中國書店版《稀見中國地方志匯刊》影印本校補。

尹是邦日討成法而紀綱之
其爬梳敝垢剪截浮遥者班
班舉矣顧念始之鉤攷於簿
書而咨諏於長老者抑何煩
也於是慨然歎曰與其鞅掌
於臨事孰若先知豫待之為
逸而以舊政告新者不若托

本序原本闕，現據中國書店版《稀見中國地方志匯刊》影印本校補。

之紀載之爲遠也遂謀諸信
菴雷公進教授王一化討論
志事而特以其義例授諸生
陳舜仁陸察沈朝陽陳桂林
盛敏耕使執簡而書馬事未
竣公晉少司徒以去今午槐
程公阜南陸公來代諸所施

本序原本闕，現據中國書店版《稀見中國地方志匯刊》影印本校補。

設視汪公不替有加焉其推轂諸生而教之使有成者如汪公也故諸生得壹志殫精揚搉今古凡幾閱月而志成焉昔左思賦三都滛思十載而就凡以都邑叢委釆拾爲難耳而今以數月之間勤不

本序原本闕，現據中國書店版《稀見中國地方志匯刊》影印本校補。

刊之典良已勤矣令長人者挾筴求之察人性以制寬猛之常物土利以經出入之法審俗尚以裁豐儉之中皆歷歷如指諸掌而諸吏於此者令昔醇疵勸懲法誠亦往往而在則是書非惟一邦之信

本序原本闕，現據中國書店版《稀見中國地方志匯刊》影印本校補。

史而扶植化源導揚

謨訓者寔有賴焉謂有裨於治理

非斆是役也大司徒畢公督

學諸公皆嘉與而樂相之其

供億鋟梓之費則前撫臺宋

公撫臺胡公臺察鄭公咸贊

給焉若節推詹君世用上元

本序原本闕，現據中國書店版《稀見中國地方志匯刊》影印本校補。

令林君大黼則采輯見聞多所裨益而上元丞范燧董校刻之役亦與有勞焉因附著之

萬曆五年丁丑仲秋吉旦

賜進士出身嘉議大夫南京禮部右侍郎管南京國子祭酒事

本序原本闕，現據中國書店版《稀見中國地方志匯刊》影印本校補。

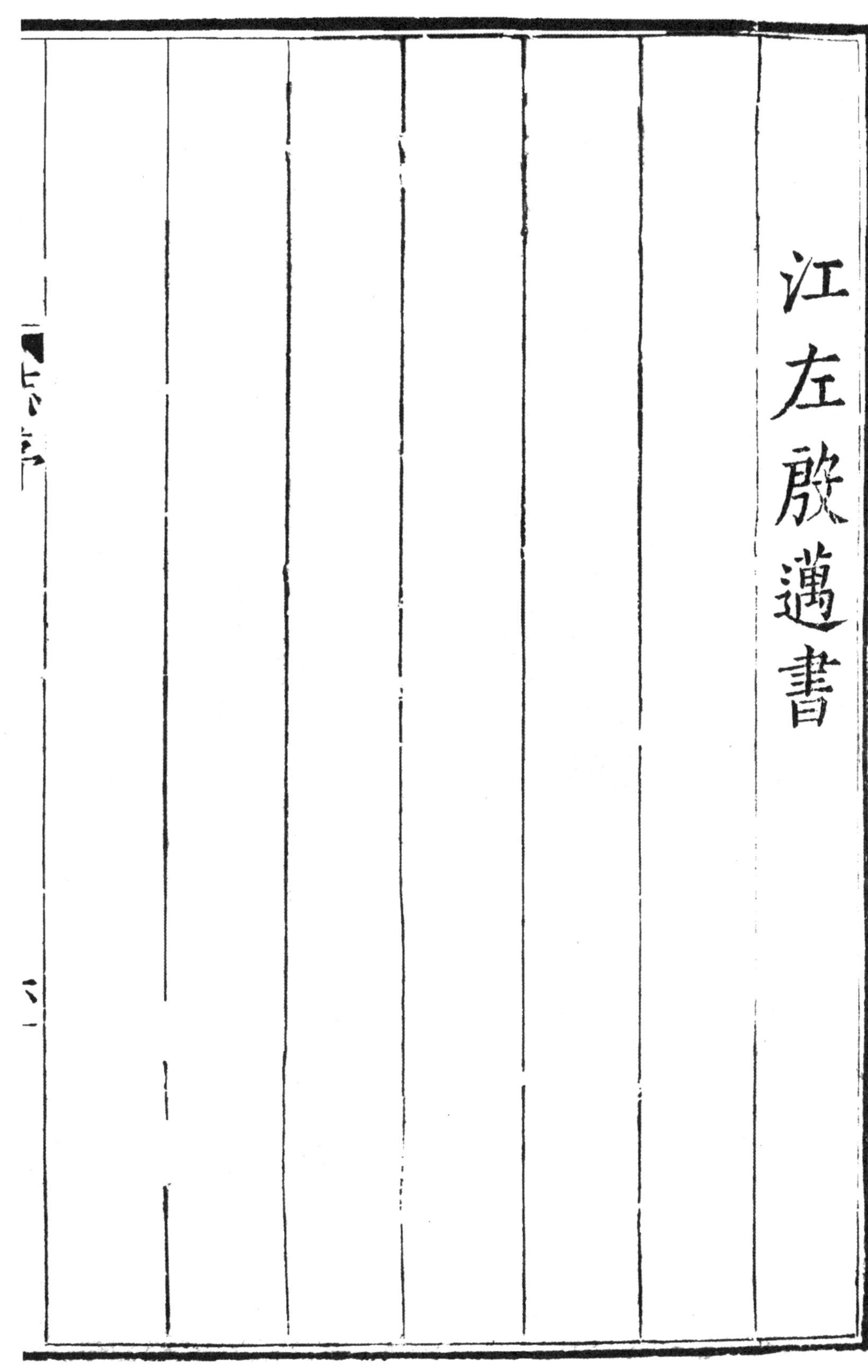

江左啟邁書

應天府志凡例

一應天故文獻地自　國朝建都來迄無專志兹事屬創始遺舛寔煩擴萃厥成以竢君子

一紀所詳沿革戰爭惟關於郡者書之灾祥不別志省煩也

一志主記事不敢僭有褒貶然正統分餘不容無辨其編年義例畧取綱目爲正

一歷代郡守稽之史牒可表見丞令而下闕如也凡僞授及未履任削不書

一天文分野事屬微渺土産非專八邑貢獻總之
太常故不志
一志以郡名凡
宫闕都城臺省苑囿皆不得書
一儒學不列建置
文廟不列祠祀重道也鄉賢名宦則置祠祀中
一宦蹟惟傳守令而下有蹟可紀者書之監司部
使非郡所得專皆不傳
一王府後裔幷　國朝諸賢世家應天者南畿志

入流寓非是茲盡入人物中但非隸籍八邑故
別爲卷
一今昔名賢非可槩論別爲勳封一行傳
一行列女雖幷傳外郡人然惟守士臣及名節
顯著者餘不敢濫及
一志中所載皆摭史幷一統金陵南畿各邑等志
惟志與史謬戾者則從史而折衷之

應天府志目録

應天府志目終

應天府境
儀真鄉
永福鄉
青山
丹陽湖
蜀渡
鍾山
仁信鄉
銅山
移風鄉
駒驪山
孝義鄉
亭山
丹陽界
五旗山
何容縣
神泉鄉
何容鄉
上容鄉
甲山
赤山
金壇界
茅山鄉
三茅山
大巫山
崇教鄉
溧水縣
思鶴鄉
溧陽縣
明義鄉
永成鄉
上元鄉
雷公山
安興鄉
德随鄉
宣城縣界
廣德州界

滁州界
金壇縣界
和義鄉
六合縣
豐城鄉
孝義鄉
定山
新安鄉
浦口
懷德鄉
江浦縣
白馬鄉
石頭
應天府
上元縣
遵教鄉
崇德鄉
江寧縣
迷子洲
和州界
安德鄉
建業鄉
長干北鄉
三城湖
江寧鎮
橫山鄉
高淳縣
安貞鄉
固城湖
永寧鄉

應天府志卷一

郡紀上

地緣制定政以代殊維是神州允闢
帝室繇今遡昔治忽可稽舉要芟繁鑒觀有賴作郡
紀

唐帝堯八十載舜既受禪命禹治水成功因定九州
其五曰淮海惟揚州沿于江海達于淮泗今應天
所隸介江南北地當屬揚越一載肇十有二州揚
仍故

虞舜三十三載禹受命復九州地仍屬揚

夏王禹八歲王巡狩江南金陵南畿志俱援禹登茅山無據

商王湯十八祀纘禹舊服爲九州州方千里揚居其一

周武王元年更定九州東南曰揚其川三江其浸五湖金陵志引地理志水經荊州記云中江逕溧陽其縣志已辨之虞翻韋昭周處酈道元皆謂洮湖爲五湖之一雖與史記註不同大都近今府境

孝王十三年大雹江涷

靈王十三年秋楚子昭爲庸浦之役遣公子貞師于棠邑以伐吳吳不出而還貞殿以吳爲不能而弗儆吳人自皐舟之隘要而擊之楚人不能相救吳敗之獲其公子宜穀 棠邑之置已久至是始見春秋傳即今之六合也

景王五年楚子子圍陷固城吳移瀨渚于陵平山下名曰陵平 始吳築固城爲瀨渚邑京城圖考謂固城當溧水溧陽之間乾道志在溧水西南九十里

圖經亦屬之溧水野志今宣城地萬曆志在高淳言人人殊適其時定在溧陽蓋溧水高淳皆自溧陽而分故其言不同耳瀨即溧也戰國策亦有瀨湖即此餘詳溧水固城下

十六年楚子棄疾遣蘇迺爲將敗吴軍取陵平更名平陵 迺野志作逸高淳志作代今從金陵志

二十三年三月棠邑大夫伍尚死其父奢之難弟員以專諸歸吴員後破楚燒固城

敬王二十四年吴子夫差始通江淮 史記丹陽吴地

非特有棠邑也

元王三年越滅吳得其故地以棠邑與楚

四年越築城於長干里名長干城應天有城自此始

安王二十六年越世子諸咎弒其君翳葬大橫山下山今屬句容

顯王三十七年楚子商既滅越始置金陵邑于石頭

秦始皇帝二十六年改金陵爲秣陵縣以平陵置溧陽縣俱屬鄣郡伍員行至溧陽中即此以在溧水之北得名越絶始皇度牛渚奏東安東安今丹陽

陽輿地考以為漢縣誤矣更棠邑為棠邑縣屬

九江郡

三十七年冬帝東巡浮江下過丹陽臨浙江還過吳從江乘渡遂置江乘縣統於鄣按括地志丹陽在江寧縣東南地里志丹陽秦屬鄣郡則縣始於秦非漢置也綱目質實指丹陽即今隸鎮江者蓋未考秦為雲陽曲阿耳江乘縣史記正義并括地志俱云在句容北通鑑註在建業東北而圖考辨其在西北蓋本南徐州記建康志但攷諸地理始皇

還過吳遂並海上則正義括地足徵况臨沂自江
乘分豈容在西北武圖考又以徐盛疑城自石頭
至江乘爲據然盛本傳云綿亘數百里夫自石頭
至幕府山固無數百里此父老謂竹里路昔時路
行山間遠攝山之北由江乘羅落以達建康是江
乘在東北無疑用望氣者之言鑿鍾阜斷長隴以
泄王氣後人因名曰秦淮
一世皇帝二年春楚人項梁以八千人渡江而西陳
嬰英布等以兵屬之衆遂六七萬

元年二月項籍立英布爲九江王統棠邑幷王鄣
郡
漢太祖高皇帝三年十二月九江王布以其地歸漢
五年十二月遣韓信等追楚王籍及之至東城乃有
二十八騎籍引騎依四潰山爲陣斬漢一將一都
尉人數十百於是籍欲東渡烏江亭長艤船待籍
不從乃以所乘騅馬賜亭長殺漢軍數百身亦被
十餘創自刎而死楚地悉定四潰烏江俱在今江
浦境

六年十二月封陳嬰爲棠邑侯元鼎元年國除正月以淮東五十三縣封從兄將軍賈爲荆王至十一年賈爲英布所殺

十二年十月更以荆爲吳國立兄子濞爲王統縣如故

孝惠皇帝五年夏大旱江水少

高皇后呂氏三年夏江水溢

[illegible]夏江溢

景皇帝三年春吳王濞反以周亞夫爲太尉將兵

誘之大破其軍濞亡走丹陽越人誅濞徙汝南王非王吳地改號江都竇太后不許續吳後非年十五嘗請擊吳故立之

孝武皇帝建元二年七月東甌請舉國內徙遂徙其衆於江淮閒

元光六年析秣陵地封宗室黨爲句容侯元朔元年國除

元朔元年析江都國地封王子敢爲丹陽侯元狩元年國除胥行爲湖熟侯元鼎五年國除纏爲秣陵

侯元鼎四年國除上元志表沿革謂元狩二年分秣陵置湖熟丹陽元狩在元朔後奚爲表之於前

元狩二年江都王建自殺國除地屬廣陵郡

六年四月以廣陵郡封子胥爲王冊文曰大江之南五湖之間人心輕揚揚州保疆三代要服不及以政

鄣郡地屬丹陽

元鼎元年改棠邑縣爲堂邑屬臨淮郡置鐵官臨淮置於元狩六年棠邑侯國除於是年故縣嘉定永樂志不同但漢書地理志最核而後之史註類書

籍毋援入東郡何哉夫是地自漢以來或為郡或為縣皆沿堂邑之名將隸東郡者尚名發干清與平樂也隋始置堂邑於彼而定六合於此故讀山東通志而歷觀諸史則隋以上堂邑皆今之六合隋以下堂邑皆今之堂邑而六合不與焉不可以不辨

元封元年十月東越殺王餘善以降徙其民江淮間

二年廢鄣郡置丹陽郡設揚州刺史統之領縣十七江乘秣陵句容丹陽湖熟溧陽與焉又析溧陽南

境置永平尋廢按金陵志辨丹陽縣在江寧當塗之間據闡微見其說的矣惟丹陽郡治所景定志之辨雖詳而猶有未盡金陵志云丹陽郡漢置治宛陵後漢因之資治通鑑洪适註亦曰西漢丹陽郡治宛陵綱目質實亦然則今之寧國府也上元志云丹陽郡即鄣郡郡治則今之長興縣也景定云郡治嘗在建業宮城記云丹陽郡城在長樂橋東一里則今之聚寶門東城角之內外是也圖考據之遂列于此以今考之宛陵移於東漢鄣郡廢爲

故前二說固爲未實若移治建業則斷始自孫吳觀張紘玄德孔明告大帝之語亦可槩見使原爲治所三公豈不及之惟寧國志直云丹陽郡治姑熟差爲有據蓋武帝因縣以立郡若堂邑縣堂邑郡之類故太平人物志悉載丹陽郡人蓋謂此也若宮苑記所云亦自孫吳移治之後晉太康中所築郡城言之而豈武帝初置之治所哉其餘則景定志辨之已明又溧陽志建武元年改永平爲永安漢書地理志無永平當以廢爲是

孝成皇帝綏和元年五月罷刺史置揚州牧

新莽天鳳元年秋莽改秣陵曰宣亭江乘曰相武以堂邑隸淮平郡金陵志謂改丹陽爲宣亭郡者非

世祖光武皇帝建武三年七月遣傅俊徇江東揚州平

六年移丹陽郡治宛陵統十六城以李忠爲太守溧陽秣陵句容江乘丹陽隸焉湖熟爲侯國按金陵志云後漢分揚州置吴郡治建業夫吴郡既治建業則秣陵諸縣豈容遠屬丹陽歷考史傳吴郡之

亦在建業甚明　改堂邑屬廣陵郡

孝明皇帝永平十二年堂邑旱

孝安皇帝延光二年七月丹陽山崩四十七所

孝順皇帝永和六年丹陽賊周生等起兵攻沒郡縣

孝冲皇帝永嘉元年正月廣陵賊張嬰據郡反攻殺堂邑長十一月中郎將滕撫討嬰誅之

孝桓皇帝建和元年揚州饑遣府掾分行賑給

孝靈皇帝建寧二年九月丹陽越賊圍太守陳夤夤擊破之

熹平三年冬太守陳夤討盜賊苴康斬首數千級

孝獻皇帝興平元年九月以劉繇爲揚州刺史繇逐丹陽太守吳景都尉孫賁

二年十二月孫策領衆濟江攻劉繇牛渚營盡得邸閣糧穀戰具時薛禮據秣陵笮融屯縣南策皆擊破之轉攻湖熟江乘句容皆降威振江東

建安元年江淮饑民相食

三年九月以孫策爲討逆將軍封吳侯始立府於秣陵

五年四月孫策卒弟權代領其衆冬以爲破虜將軍

九年十二月丹陽郡吏殺其太守孫翊翊妻徐氏討

斬之

十七年七月孫權自京口徙治秣陵城楚金陵邑地

號石頭改秣陵爲建業初張紘說權以金陵地勢

岡阜連石頭秦始皇以爲有王者都邑之氣故掘

斷連岡處所具存地有其氣天之所命宜爲都邑

諸葛亮亦曰金陵鍾阜龍蟠石城虎踞真帝王之

宅權遂移居之省湖熟江乘爲典農都尉

十八年正月曹操徙濵江郡縣民驚皆東渡江

二十二年十二月丹陽賊帥費棧作亂扇動山越權遣陸遜討破之遂部伍丹陽等三郡彊者爲兵羸者補户得精卒數萬人

二十五年孫權自建業徙治公安以呂範爲建威將軍領丹陽太守

昭烈皇帝章武元年四月孫權移丹陽治建業領縣十九 圖考云建安十三年移丹陽郡治建業然十七年始更名十三年固無建業也金陵志云二十

十六年自丹陽郡理于建業權稱二十六年即章武
改元也又志所載治所郡名俱云治建業後二載
乃表郡自建業徙治蕪湖未知何據又析溧陽置
永安尋改永平後復三國志註永安今武康縣不
容一時頓有兩永安豈作志者誤歟抑此既廢而
移其名于彼歟又金陵志謂改永平爲永安然休
封譙於永安皓封洪於永平志雖無徵年有先後

帝禪建興二年八月魏主丕以舟師伐吳吳安東將
軍徐盛從建業築圍作薄落圍上設疑城假樓自

石頭至江乘聯綿數百里一夕而成又大浮舟艦于江時江水盛長丕臨望嘆曰魏雖有武騎千群無所用之未可圖也會暴風至所御龍舟幾覆乃旋師

二年江東地震魏王丕復以舟師伐吳十月臨江觀兵戎卒十餘萬旌旗數百里有渡江之志吳人嚴兵固守時大寒兵舟不得入江丕見波濤洶湧嘆曰嗟乎固天所以限南北也遂歸

七年九月吳王權還都建業城舊府太初宮居之金

陵建都自吳始
九年五月建業有野蚕成繭大如卵
十二年八月吳以諸葛恪爲丹陽太守討山越九月
隕霜傷穀
十四年吳自去年不雨至於夏
十五年五月江東地震八月白麟見建業有赤烏群
集災前殿吳王權遂改明年元
延熙二年正月江東地再震
三年吳使左臺侍御郗儉鑿城南自秦淮北抵倉城

名運瀆又自江口沿淮築堤謂之横塘夾淮立柵自石頭迄東冶謂之柵塘後二事年無考姑附于此

四年正月大雪平地三尺吳鑿青溪自城北塹洩玄湖水九曲西南入秦淮魏王芳置淮南屯田開廣漕渠每東南有事大軍泛舟達于江淮是年康僧會至建業立壇求舍利吳遂剏建初寺居之江南佛法自此日盛

八年夏震吳宫門柱又擊南津大橋楹八月吳遣陳

勳發屯兵三萬鑿句容中道至雲陽西城以通吳會船艦又鑿破岡瀆立方山埭按金陵志謂吳省溧陽爲屯田然芮玄何蔣相繼受封蓋未嘗省也故太康二年不書復

十年吳主權適南宮改作太初宮諸將及州郡皆義作

十一年江東地震

十二年四月有兩鳥啣雀墮吳東館將軍朱據領丞相燎雀以祭

十三年八月丹陽句容諸山崩鴻水溢吳主權原逋責給貸種食十一月遣軍十萬作堂邑涂塘以淹北道

十四年五月吳主權遣中書郎李崇齎印綬迎羅陽王表表至建業爲立第于蒼龍門外遂用其語改年立后八月朔大風江海湧溢平地深八尺吳高陵松栢皆拔郡城南門飛落十一月權祭南郊

十五年四月吳主權卒葬蔣山太子亮立徙琅琊王休於丹陽

十六年三月吳諸葛恪率軍伐魏大疫兵卒死者大
半十月孫峻伏兵殺恪于殿堂投之石子岡下
十七年七月江溢
十八年十二月吳始作大廟
十九年二月建業火
二十年四月吳習兵於苑中
二十一年九月吳孫綝廢其主亮爲會稽王十月迎
立琅琊王休休命丹陽太守李衡還郡加威遠将
軍

景耀元年吳有風四轉五復蒙霧連日

三年吳作浦里塘開丹陽湖田

四年五月大雨吳水泉湧溢

五年二月吳白虎門北樓災八月大風震電水泉涌溢

炎興元年石頭小城火燒西南百八十丈

吳景帝孫休永安七年七月吳主休殂烏程侯皓立

吳主皓甘露元年九月徙都武昌留御史大夫丁固右將軍諸葛靚鎮建業

吳寶鼎元年十月永安山賊施但等聚衆數千人刼永安侯譙出烏程取故太子和陵上鼓吹曲蓋比至建業衆萬餘人丁固諸葛靚逆之于牛屯大戰但等敗走譙自殺吳主居武昌揚州民泝流供給甚苦之十二月乃還都建業

二年夏作昭明宮於太初之東二千石以下皆自入山督伐木又攘諸營地大開苑囿起土山作樓觀加飾珠玉窮極侈靡十二月成移居之

吳建衡元年二月天火燒萬餘家死者七百餘人

三年正月舉大衆游華里東觀令華覈等冏爭迺還西苑言鳳皇集遂改明年元

鳳凰二年殺司市陳聲投於四望山下

三年自改元及是歲連大疫

天璽元年京下督孫楷叛降晉

天紀三年建業有鬼目菜生工人黄耇家依緣棗樹又有買菜生工人吳平家如枇杷形兩邊生菜綠色東觀案圖名鬼目作芝草買菜作平慮草遂以耇爲侍芝郎平爲平慮郎皆銀印青綬十一月晉王炎

遣鎮東大将軍司馬伷向涂中安東将軍王渾揚州刺史周浚向牛渚建威将軍王戎向武昌平南将軍胡奮向夏口鎮南将軍杜預向江陵龍驤将軍王濬廣武将軍唐彬浮江東下命賈充爲大都督持節假黄鉞以冠軍将軍楊濟副之來伐

晉世祖武皇帝太康元年春諸軍並進吳主乃命丞相張悌督丹陽太守沈瑩護軍孫震副軍師諸葛靚帥衆渡江逆戰至牛渚沈瑩曰晉治水軍于蜀久矣恐不能禦宜蓄衆力以俟其來悌曰吳之将

亡非今日也及今渡江猶可決戰坐待敵來君臣俱降無復一人死難者不亦辱乎三月悌渡江與揚州刺史周浚戰敗死之時王渾王濬及琅琊王伷皆迫吳都伷濟自三山遣周浚張喬再破吳軍於板橋沈瑩孫震皆死建業大震吳主分遣使者奉書請降壬寅濬戎卒八萬方舟百里鼓譟入于石頭吳主皓降伷會諸軍入吳都城屯太初宮詔遣使分行吳境除其苛政改建業仍爲秣陵析秣陵置臨江縣以堂邑隸臨淮郡六合志未紀堂邑

所屬從宋書
二年二月丹陽地震改臨江爲江寧永安爲永世復
置建業江乘湖熟及丹陽秣陵句容溧陽隸丹陽
郡還治建業初築郡城以秦淮南爲秣陵北爲建
業改業爲鄴尋廢江寧金陵志已表郡領江寧永
嘉元年始書置何相戾也九月吳故將莞恭帛奉
舉兵攻殺建鄴令圍揚州徐州刺史嵇喜平之十
月詔揚州刺史周浚移鎮秣陵
四年冬揚州大水

五年八月丹陽地震

九年正月丹陽地震四月江南地震

十年十二月丹陽地震

孝惠皇帝元康五年六月揚州大水詔遣御史巡行賑貸十二月丹陽建鄴雨雹尋大雪

六年五月揚州大水

七年置堂邑郡於堂邑縣隸揚州

八年九月揚州大水

九年正月丹陽地震

永寧元年趙王倫篡位齊王冏移檄揚州刺史郄隆舉兵討賊隆奉檄遲疑未決將士憤惋時參軍王邃鎮石頭將士趣往歸之奉邃攻隆傳首于冏

太安元年有石浮來建鄴入秦淮夏架湖登岸二百餘步百姓咸驚譟相告曰石來明年石冰入揚州

二年七月石冰寇揚州敗刺史陳徽郡縣盡沒十二月議郎周玘等起兵江東討冰推前吳興太守顧秘都督揚州九郡諸軍事傳檄州縣前侍御史賀循廣陵華潭丹陽葛洪甘卓皆起兵應秘冰退趍

壽春征東將軍劉准遣廣陵度支陳敏擊之

永興元年二月陳敏與石冰戰數十合所向皆捷遂與周玘合攻冰於建鄴三月冰北走斬之揚州平以敏爲廣陵相析永世置平陵俱屬義興郡尋還丹陽

二年八月丹陽太守朱建爲揚州刺史曹武所殺十二月右將軍陳敏舉兵反自號楚公遣弟昶攻堂邑縣令孫混遁遂渡江逐揚州刺史劉機丹陽太守王曠據江東假顧榮丹陽內史

孝懷皇帝永嘉元年陳敏刑政無章顧榮周玘等憂之華譚遺榮等書曰敏盗據吴會命危朝露今皇輿東返俊乂盈朝一旦徐州鋭鋒南據堂邑征東勁卒耀威歷陽飛橋越横江之津泛舟渡瓜步之渚威振丹陽擒寇建鄴而諸賢何顔見中州之士耶榮等素有圖敏之心及見書甚慙使征東將軍劉準發兵臨江已爲内應三月準遣揚州刺史劉機出歷陽討敏敏遣弟昶屯烏江宏屯牛渚周玘使人斬昶勒兵朱雀橋南敏又遣甘卓攻玘卓收

船南岸與玘等合攻敏敏自帥衆拒戰軍人隔水語敏衆曰本所以戮力陳公者以顧丹陽周安豊耳今皆異矣汝等何爲榮以白羽扇麾之敏衆遂潰單騎北走追獲斬於建鄴七月以琅琊王睿爲安東將軍都督揚州江南諸軍事假節鎮建鄴九月琅琊王自下邳移鎮建業因吳舊都城修而居之以太初宫爲府舍復置江寧縣治在今城南七十里南臨浦水水之源出姑熟名江寧浦

三年夏大旱江竭

四年三月琅琊王睿割永世平陵等縣置義興郡以

旌周玘之功江東大水

五年司空荀藩移檄征鎮勸王推琅琊王爲盟主海

內大亂江左差安中原衣冠之族多渡江而南以

王導爲右將軍揚州刺史監江南諸軍事

六年二月石勒築壘葛陂課農造舟將攻建鄴琅琊

王大集江南之衆以紀瞻爲揚威將軍督諸軍討

之勒退河北帝鑄一鼎沈於瓜步江中其鼎無文

字乃龜形

孝愍皇帝建興元年五月以琅琊王睿爲左丞相都督諸軍事詔以時進討睿辭方平定江東未暇北伐八月改建鄴爲建康

四年十二月琅琊王睿出師露次移檄天下時白玉麒麟神璽出於江寧其名曰長壽萬年按金陵志江寧縣名始見是年實録注永嘉中所置已辨太康二年下

中宗元皇帝建武元年三月琅琊王睿即晉王位立宗廟社稷於建康十一月立太學揚州大旱

大興元年三月王即皇帝位以宰相領揚州牧改丹陽太守爲尹六月旱帝親雩十一月新作聽訟觀

十二月江東三郡饑遣使賑給之

二年三月立郊丘於建康幷地祇合祭之時未立北郊也

三年四月江東大饑詔百官言事丹陽地震始置懷德縣於建康以處琅琊國人隨渡江者隸丹陽郡永復爲湯沐邑置南琅琊南蘭陵郡於江乘又創北湖築長堤以壅北山水東自覆舟山西至宣武

城六里餘

四年八月黃霧四塞

永昌元年王敦舉兵反向京師帝徵戴淵劉隗入衛使隗軍金城周札守石頭帝親被甲徇六師於郊外三月敦前鋒攻石頭周札開城門應之敦據石頭帝命刁協王導周顗與隗淵等分道出戰皆大敗協奔江乘爲人所殺敦自爲丞相都督中外諸軍錄尚書事殺淵顗四月還武昌八月暴風壞屋拔御道柳樹百餘株其風縱横無常若自八方来

者十月京師大霧黑氣貫天日月無光閏十一月
巳丑帝崩庚寅太子紹即位京都大旱川谷並竭
肅宗明皇帝太寧元年正月癸巳黃霧四塞京師大
火二月塟建平陵四月王敦移鎮姑孰屯于湖自
領揚州牧五月丹陽大水七月丙子朔震太極殿
柱時郗鑒都督楊州敦忌之表鑒爲尚書令以王
含爲征東將軍都督楊州軍事鑒還臺遂與帝謀
討敦
二年四月庚子京都大雨雹鷰雀死六月王敦表溫

嶠爲丹陽尹嶠至建康盡以敦逆謀告帝帝自將討敦加司徒王導大都督領揚州刺史以嶠都督東安北部諸軍事與右將軍卞敦守石頭應詹爲護軍將軍都督前鋒及朱雀橋南諸軍事詔臨淮太守蘇峻兗州刺史劉遐等入衛帝屯中堂敦復反七月敦遣王含錢鳳等水陸五萬奄至江寧南岸溫嶠移屯水北燒朱雀桁以挫其鋒帝躬率六軍出次南皇堂癸酉募壯士遣將軍段秀等帥千人渡水掩其未備平旦戰於越城大破之敦憤惋

而死賊黨沈充帥萬餘人來會含等築壘於陵口乙未賊衆濟水詹與戰不利賊至宣陽門北遐峻等自南塘橫擊大破之遐又破充於青谿賊燒營宵遁丁酉帝還宮

三年閏七月戊子帝崩己丑太子衍即位九月葬武平陵

顯宗成皇帝咸和元年二月京師百里內復一年租赦五歲以下刑八月修石頭以備蘇峻十一月大閱於南郊後趙石聰寇阜陵詔加司徒導大司馬

假黃鉞都督中外諸軍事以禦之軍于江寧蘇峻遣其將韓晃擊走之朝議又作涂塘以遏胡寇涂塘見滁河

二年五月京師火又大水十一月以會稽內史王舒行揚州刺史事蘇峻祖約舉兵反十二月峻襲陷姑孰向京師

三年正月平南將軍溫嶠帥師救京師遣王愆期鄧嶽紀睦爲前鋒次直瀆峻濟自橫江登牛渚陶回謂庾亮曰峻知石頭有重戍不敢直下必向小丹

陽南道步來宜伏兵邀之可一戰擒也亮不從峻果自小丹陽來迷失道夜行無復部分二月庚戌峻至蔣山假領軍將軍卞壼節帥六軍及峻戰於西陵王師敗績丙辰峻攻青溪柵縱火王師又大敗壼并丹陽太守羊曼黃門侍郎周導廬江太守陶瞻皆死之亮帥衆於宣陽門内未及成列士衆皆棄甲走峻兵入臺城稱詔大赦自爲驃騎將軍録尚書事屯于湖四月温嶠陶侃與亮起兵討峻冋趣建康五月乙未峻逼遷帝於石頭以倉屋爲

宫時嶠侃軍於茄子浦峻送米萬斛饋祖約侃遣
人襲取之斬獲萬計舟師至蔡洲侃屯查浦嶠屯
沙門浦諸軍即欲決戰侃曰賊衆方盛難與爭鋒
當以歲月智計破之郗鑒將李根請築白石壘從
之遣亮以千人守白石又令郗鑒郭默還據京口
立大業曲阿庱亭三壘分賊兵勢九月侃將毛寶
燒賊句容湖熟積聚賊軍食乏遣人急攻大業侃
將救之長史殷羨曰吾兵不習步戰不如急攻石
頭大業自解侃督水軍向石頭嶠亮從白石南上

峻輕騎出戰墜馬誅之其黨任讓等共立峻弟逸
爲主閉城自守
四年正月帝在石頭陸曄諭匡術以苑城歸順百官
皆赴推曄督宮城事劉超鍾雅謀奉帝出赴西師
事泄被害峻子碩與其黨韓晃併力攻臺城又焚
太極東堂秘閣皆盡城中大飢米斗萬錢二月大
霖雨丙戌諸軍攻石頭李陽與蘇逸戰於祖浦陽
軍敗建威長史滕含以鋭卒擊之逸等大敗含奉
帝御溫嶠舟賊黨張健復與晃等輕軍西趨故鄣

郗鑒遣李閎追及於巖山下皆斬之丁亥還宮甲午逸以萬餘人自延陵湖將入吳興將軍王允之及逸戰於溧陽獲之兵火之後宮闕灰燼以建平園爲宮嶠欲遷都豫章三吳之豪請都會稽王導曰孫仲謀劉玄德俱言建康王者之宅古之帝王不以豐儉移都今宜鎮之以靜群情自定由是不復徙都以褚翜爲丹陽尹翜收集散亡京邑遂安

七月丹陽大水詔復遭賊郡縣租稅

五年無不麥大饑九月造新宮始繕苑城十月幸司

徒王導宅置酒大會

六年正月會州郡秀孝於集賢堂有麏見獲之久〻有事于太廟

七年十二月新宫成署曰建康宫帝移居之

八年始作北郊於覆舟山之陽制如南郊改倉苑爲太倉

咸康元年二月揚州諸郡饑遣使賑給三月幸司徒王導府與群臣宴于内室拜導及其妻四月趙王虎南遊臨江而還遊騎十餘至歷陽太守袁耽表

上之帝乃觀兵廣莫門郗鑒使陳光入衞俟趙騎去時桓溫領琅琊郡鎮江乘之蒲洲金城溫以琅琊雖有相而無其地求割江乘縣境立郡帝從之郡始有實土

二年更作朱雀門新立朱雀浮航南渡淮水亦名朱雀橋七月揚州饑開倉賑給

三年正月國子祭酒袁瓌太常馮懷以江左寖安請興學校帝從之立太學於丹陽城東南徵集生徒

四年僑置魏廣川高陽堂邑諸郡并所統縣寄居京

邑以處流寓時江淮擾亂僑置堂邑于此而本郡尋廢故咸康八年通鑑註實郡在江北者有堂邑

五年七月以庾亮爲揚州刺史不拜

六年割江乘西界暨臨沂與懷德陽都即丘同隸南琅琊

七年詔王公庶人多自北來僑寓江左今皆以土著爲斷

八年正月乙未朔京都大雨六月癸巳帝崩甲午琅琊王岳即位七月葬興平陵

康皇帝建元元年八月徵何充爲都督琅琊諸軍事
領揚州刺史
二年九月戊戌帝崩己丑太子聃即位十月葬崇平
陵
孝宗穆皇帝永和二年以殷浩爲揚州刺史
七年七月濤水入石頭溺死者數百人
八年十月徵謝尚爲給事中戍石頭
九年正月拜建平陵八月京都地震有聲如雷
十年正月以王述爲揚州刺史五月江西流民郭敞

等執陳留内史劉仕于堂邑叛降姚襄以周閔爲中軍將軍屯中堂豫州刺史謝尚自歷陽還衛京師固江備守

十二年二月桓溫請移都洛陽不許

升平元年三月帝釋奠于中堂

五年五月丁巳帝崩庚申琅琊王丕即位七月葬永平陵

哀皇帝隆和元年五月桓溫復請遷都孫綽疏中宗龍飛實賴萬里長江畫而守之耳士民播流江表

已經數世奈何捨百勝之長理舉天下而一擲哉

王述曰溫欲以虛聲威朝廷耳但從之自無所至

事果不行

興寧元年四月揚州地震

二年二月帝耕籍田移陶官于淮水北以南岸地施

僧慧力造瓦棺寺五月加桓溫揚州牧

三年二月丙申帝崩丁酉琅琊王奕即位三月葬安

平陵

帝奕太和四年十二月桓溫伐燕敗歸與丞相昱會

于涂中復圖後舉

五年八月桓溫討袁瑾以劉波爲淮南内史將五千人鎮石頭

六年六月京師大水平地數尺浸及太廟朱雀大航纜斷三艘流入大江丹陽諸縣稻稼蕩没十一月桓溫自廣陵將還姑孰屯于白石乃詣建康己酉以太后令廢帝爲東海王迎會稽王昱即位溫出次中堂分兵屯衛詔進溫丞相大司馬留京師輔政溫辭還鎮姑孰十二月濤水入石頭

太宗簡文皇帝咸安二年六月庾希等聚衆入京口城詐稱受海西公密旨誅桓溫建康擾亂溫遣兵擒斬之七月己未帝崩太子昌明即位十月葬高平陵

烈宗孝武皇帝寧康元年二月桓溫來朝詔謝安王坦之迎于新亭溫有疾還鎮三月京都大風火大起詔除丹陽竹格等四桁稅

三年五月以謝安領揚州刺史十二月神獸門災

太元元年正月壬寅朔帝加元服見於太廟甲子謁

建平等四陵

三年二月作新宫移居會稽王邸七月入新宫

四年五月秦毛當王顯帥衆會俱難彭超進圍三阿京都大震臨江列戍丹陽尹屯衛詔遣征虜將軍謝石帥舟師屯涂中左衛將軍毛安之游擊將軍河間王曇之淮南太守楊廣宣城内史丘準帥衆四萬屯堂邑毛當毛盛帥衆二萬襲堂邑安之等驚潰兖州刺史謝玄進兵次石梁與難超連戰敗走之詔進玄冠軍將軍秦王堅賞堂邑之功即以

當盛顯俱爲刺史

五年六月震含章殿四柱

六年正月初奉佛法立精舍於殿内引諸沙門居之

六月揚州大水命謝安帥水軍於石頭江東大饑

八年二月黄霧四塞八月秦王堅大舉入寇都下震

恐遣征討都督謝石冠軍將軍謝玄等帥師拒之

十一月石玄等大破秦兵詔衛將軍謝安勞旋師

于金城

十年正月國學火燒學舍尋以尚書謝石請復立太

廟之南四月謝安出鎮廣陵始發石頭金鼓自破

八月以琅琊王道子領揚州刺史

十一年八月立宣尼廟于丹陽郡城

十三年四月禘太廟畢有兎行廟堂上十二月戊子濤水入石頭毁大桁殺人乙未大風晝晦延賢堂災丙申螽斯則百堂及客館驃騎府庫皆災

十四年琅琊王道子移揚州理於第七月宣陽門四柱災十二月雨木氷

十五年八月京師地震

十六年正月改築太廟五月飛蝗從南來集堂邑縣界害苗稼六月鸛巢太極殿東鴟尾

十七年六月癸卯地震甲寅濤水入石頭毀大桁漂船舫有死者八月新作東宮時建康獄吏枉暴秋冬旱

二十年作宣太后廟

二十一年正月造清暑殿四月新作永安宮六月庚申貴人張氏弑帝於清暑殿辛酉太子德宗即位會稽王道子進揚州牧十月葬隆平陵大雪

安皇帝隆安元年四月王恭舉兵反以討王國寶王
緒為名國寶遣數百人戍竹里夜遇風雨散歸詔
誅國寶緒以悦于恭恭乃罷兵還京口是年更堂
邑郡為秦郡置尉氏縣時中原亂民轉徙堂邑更
置郡以統之治六合山宣化鎮江上
二年三月龍舟二乘災七月王恭及庾楷殷仲堪桓
玄楊佺期復舉兵反九月加會稽王道子黃鉞以
世子元顯為征討都督遣衛將軍王珣右將軍謝
琰將兵討恭譙王尚之將兵討楷尚之大破楷楷

奔玄敗官軍於白石與佺期進至横江尚之退走道子屯中堂元顯守石頭王珣守北郊謝琰屯宣陽門恭兵次竹里元顯以重利啗恭司馬劉牢之牢之降恭奔長塘湖湖尉收送京師斬於倪塘以牢之代恭爲都督刺史鎮京口俄佺期玄至石頭仲堪至蕪湖元顯自竹里馳還京師遣丹陽尹王愷等發京邑士民數萬人據石頭以拒之佺期等上表理恭求誅牢之牢之帥北府兵馳赴京師軍於新亭佺期玄見之皆失色回軍蔡洲

三年四月以會稽世子元顯爲揚州刺史十月妖賊孫恩作亂畿内盜賊起恩黨亦有潛伏建康者乃加道子黄鉞元顯領中軍將軍徐州刺史謝琰兼督吳興義興軍事以討之

五年六月孫恩寇丹徒戰士十餘萬樓船千餘艘百官入居省内冠軍將軍高素等守石頭輔國將軍劉襲柵斷淮口丹陽尹司馬恢之戍南岸冠軍將軍桓謙等備白石左衛將軍王嘏等屯中堂劉牢之使劉裕自海鹽入援倍道兼行與恩戰于丹徒

大破之賊復整衆向京師譙王尚之帥精銳馳至
徑屯積弩堂恩至白石知尚之已在建康而牢之
還至新洲遂不敢進浮海北走
元興元年正月下詔罪狀桓玄以元顯爲驃騎大将
軍征討大都督加黃鉞又以鎮北将軍劉牢之爲
前鋒都督前将軍譙王尚之爲後部討玄玄留桓
偉守江陵抗表罪狀元顯舉兵東下二月丙午帝
戎服餞元顯于西池丁卯玄敗王師于姑孰尚之
逃涂中玄捕獲之牢之軍溧洲叛與玄合三月元

顯將發聞玄已至新亭退軍陳宣陽門外軍中相驚言玄已至南桁元顯引兵欲還宮玄遣人拔刀隨後大呼曰放仗軍人皆奔潰元顯走入東府玄遣人收之玄入京師稱詔解嚴自爲太尉揚州牧總百揆殺元顯及其子彥璋尚之毛泰毛遂等並遇害四月玄出屯姑孰八月尚書下舍曹火十月黃霧昏濁不雨

二年十一月桓玄遷帝于永安宮太廟神主于琅琊國百官詣姑孰勸進十二月壬辰玄簒位廢帝爲

平固王遷尋陽納桓溫神主于太廟京都大饑人相食

三年二月庚寅夜濤水入石頭商旅方舟萬計漂敗流斷骸胔相望讙譁震天乙卯建武將軍劉裕帥劉毅何無忌等舉義兵于丹徒斬徐州刺史桓脩丁巳裕軍于竹里移檄遠近玄屯大衆于覆舟山下遣吳甫之皇甫敷相繼北上三月裕軍與之遇于江乘奮擊斬甫之進至羅落橋敷帥數千人逆戰裕又斬之玄聞二將死大懼使桓謙何澹之屯

東陵卞範之屯覆舟山西衆合二萬裕進至覆舟山將士皆殊死戰無不一當百讙等大潰玄將其子出南掖門趍石頭與殷仲文等浮江南走裕屯石頭城立留臺焚桓溫神主于宣陽門外造晉新主納太廟遣諸將追玄尚書王嘏帥百官迎帝誠熹入宮收圖書器物封識府庫丁卯裕還鎮東府以王謐領揚州刺史辛未玄逼帝西上四月無忌等大破玄將何澹之於桑落洲裕還京師玄挾帝東下無忌劉毅劉道規等大破玄于崢嶸洲玄從

挾帝入江陵寧州督護馮遷誅玄帝復位
義熙元年二月留臺迎帝於江陵三月帝至自江陵
四月劉裕旋鎮京口帝餞於東堂十二月濤水入
石頭
二年十二月劉裕自爲揚州刺史以劉道憐戍石頭
七月尚書殿中吏部曹火十二月濤復入石頭
五年四月劉裕北伐帝餞于西堂五月溧陽雨雹六
月震太廟
六年二月盧循反四月劉裕還建康諸葛長民劉藩

劉道憐各將兵入衛五月劉毅與循戰于桑落洲毅兵大敗乙丑循至淮口大司馬琅琊王德文都督宮城諸軍事次中皇堂裕屯石頭梁王珍之屯南掖門冠軍將軍劉敬宣屯北郊輔國將軍劉懷默屯建陽門裕謂將佐曰賊若於新亭直進其鋒不可當宜且避之若廻泊西岸此成禽耳徐道覆請于新亭至白石焚舟而上數道攻裕循不從回泊蔡洲裕乃悅伐橋柵石頭淮口脩治越城築查浦藥園廷尉三壘以拒之循伏兵南岸使老弱乘

舟向白石聲言悉衆自白石步上裕留參軍沈林子徐赤特戍南岸自以兵北出拒之循焚查浦進至張侯橋赤特大敗林子據柵力戰循引精兵至卅陽郡裕馳還石頭出陳于南塘循退保尋陽八月裕還東府荆州刺史劉道規遣司馬王鎮之帥天門太守檀道濟廣武將軍到彦之入援建康十月裕發建康討盧循是年震太廟鴟尾宮城及御道左右皆生蒺藜

八年起入漢樓于石頭城九月劉裕帥諸軍發建康

擊劉毅

九年盜發卞壼墓詔給錢十萬修復之二月劉裕自江陵東還潛入東府伏壯士殺諸葛長民四月罷臨沂湖熟腊澤田四十頃以賜貧人弛湖池之禁五月國子聖堂壞京都大火燒數千家移秣陵于鬬場栢社地

十年城東府五月西明門地穿水湧出

十一年劉裕發建康擊宗室司馬休之以高陽內史劉鍾領石頭戍事屯冶亭三月有群盜數百夜襲

治亭鍾詶平之七月京師大水壞太廟所在火起
十二年宗室據秦郡擅磔斬之以太守劉基請也
十四年十二月劉裕弑帝于東堂奉琅琊王德文即
位
恭皇帝元熙元年正月葬安皇帝于休平陵九月劉
裕自解揚州牧十月徙司州刺史劉義真爲揚州
刺史鎮石頭省揚州府禁坊三軍移秣陵于其地
二年六月宋王劉裕還建康稱皇帝廢帝爲零陵王
即宫于秣陵故縣以兵守之八月宋爲晉諸陵置

守衛併廣川郡於廣川縣隸魏郡以建康秣陵丹陽江寧永世溧陽湖熟句容隸丹陽郡揚州領之割建康臨沂為土費并臨沂江乘陽都費即丘隸南琅琊郡蘭陵合鄉承縣隸南蘭陵郡俱南徐州領之秦義成尉氏臨涂平丘外黃沛雎丘浚儀頓丘隸秦郡南豫州領之餘如故　按金陵志逸臨沂江乘盖未攷宋書地理志也永初郡國秦郡所隸寔繁意郡即治秦及尉氏其後郡東有義成村臨塗界今滁州頓丘界今来安俱郡故境若平丘等

縣則舊隸陳留僑置于此者故何徐諸志不著其名

宋高祖武帝劉裕永初二年正月宋主祠南郊以徐羨之爲揚州刺史二月臨延賢堂策試諸州郡秀才孝廉以揚州秀才顧練爲著作郎夏四月詔所在淫祠蔣子文以下皆除之九月裕弒零陵王於秣陵十一月葬晉恭帝于沖平陵

三年五月宋主裕殂葬初寧陵太子義符立

宋主義符景平元年五月徐羨之傅亮謝晦廢宋主義符爲

營陽王弑之八月宋主義隆立以竟陵王義宣鎮石頭省堂邑高陽相繼入魏郡

宋太祖文帝義隆元嘉二年正月祠南郊二月策秀才于中堂

三年正月以王弘爲揚州刺史二月宋主自將討謝晦三月還建康六月聽訟于延賢堂自是歲以爲常

四年正月乙亥曲赦建康百里內二月如丹徒謁京陵三月還建康五月建康疾疫遣使存問給醫藥無家者賜以棺器

五年正月臨玄武館閱武戊子丹陽火遣使巡慰賑賜

六月復大水遣使檢行賑贍丙寅震太廟破東鴟尾徹壁柱

七年建康火延燒大社北墻

八年揚州諸郡旱六月以秦郡屬南兗州併即丘于陽都臨塗于秦平丘下尉氏沛于頓丘　按金陵志溧陽志幷金陵圖考皆云是年省永世入溧陽然考武太元七年尚有永世是後見綱目者非一南齊丹陽郡領縣八亦有永世隋書永世縣屬宣城郡註云平陳廢開皇閒復置是陳亦有永世也今以

史爲正但圖考南畿志出于一人之手圖考既云省入而南畿志南齊郡縣表中復列之何也又宋書郡國志永世令下云元嘉九年以併永世溧陽二縣似蒙上文平陵縣謂併平陵于永世溧陽非以永世併溧陽也又南齊樂預亦嘗爲永世令

九年　春丹陽雨雹溧陽尤甚傷人畜六月以彭城王義康領揚州刺史省平陵入永世溧陽

十一年　省魏郡以其民併建康五月建康大水

十二年　四月建康地震六月丹陽諸郡大水邑里乘船

立南學于郛門外併合鄉於承

十四年 三月丙申大鳥二集秣陵民王顗園中李樹上狀如孔雀揚州刺史彭城王義康以聞改鳥所集永昌里曰鳳凰

十五年 新作東宫召處士雷次宗至建康開館于雞籠山聚徒教授立四學省費縣入建康臨沂

十六年 正月閱武于北郊始置上定林寺降賊趙廣張尋等謀反于建康伏誅

十七年 十二月復以始興王濬爲揚州刺史

九年三月臨儒學召雷次宗侍講賜諸生帛閏五月丹陽雨水遣使巡行賑卹

二十二年正月於臺城東西開萬春千秋二門閱武于白下

二十一年耕籍田六月建康連雨百餘日大水

二十二年夏討緣沔諸蠻移一萬四千餘口於建康十月浚淮起湖熟廢田千餘頃十一月宋主燕武帳岡太子詹事范曄中舍人謝綜散騎常侍孔熙先等謀反伏誅

二十三年六月築北堤立玄武湖築景陽山於華林園九月臨國子學策試諸生答問

二十四年春蠲建康秣陵二縣今年田租之半六月丹陽大水疫癘遣使行郡縣給以醫藥

二十五年正月詔檢行建康秣陵二縣貧弊之室及營署賜以米薪閏月大蒐于宣武場四月新作閶闔廣莫二門改先廣莫曰承明開陽曰津陽玄武湖青龍見五月黑龍又見

二十六年十月以廬陵王紹爲揚州刺史

二十七年秋大舉侵魏以兵力不足悉發南兗等州三五民兵符到十日即行縁江蘭陵琅琊諸郡集廣陵有司又奏軍用不充揚南兗等州富民家貲滿五十萬者借四之一十二月魏主燾引兵南下進次瓜步壊民廬舍伐葦爲筏聲言欲渡江建康震懼丹陽統内盡户發丁太子劭出鎮石頭領軍將軍劉遵考將兵分守津要列營周亘江濱自采石至暨陽六七百里上登石頭城有憂色曰檀道濟若在豈使胡馬至此又登幕府山觀望形勢魏主鑿

瓜步山爲蟠道於其上設氈屋秦郡陷遂置秦州

及横山縣

二十八年正月朔魏主大會群臣於瓜步山班爵行賞有

差魏人縁江舉火右衛率尹弘言於宋主曰六夷

如此必走明日果掠居民焚廬舍而去魏人凡破

城守殺傷不可勝計丁壯者即加斬截嬰兒貫於

槊上盤舞以爲戲所過赤地無餘春燕歸巢于林

木邑里蕭條賑恤民遭寇者蠲其稅調秦郡復廢

秦州二月壬午宋主如瓜步三月乙酉還建康建

康大旱民多疾疫十二月使沈慶之徙彭城流民數千家於瓜步

二十九年二月雷雨雪三月大風拔樹五月丹陽霖雨傷禾稼十二月黄霧四塞

三十年十二月太子劭弑宋主武陵王駿舉兵入討荊州刺史義宣雍州刺史臧質並起義兵四月辛酉駿至溧洲冠軍將軍柳元景憚水戰乃倍道兼行至江寧步上結壘新亭依山爲阻甲子劭與魯秀等帥衆攻新亭壘士殊死戰魯秀擊退鼓劭衆遽止

元景乃開壘鼓譟以乘之劭衆大潰更帥餘衆來戰元景復大破之殺傷過半劭僅以身免丙寅駿至江寧江夏王義恭來奔奉表勸進駿自立於新亭五月癸酉臧質以雍州兵至劉遵考遣其將夏侯獻之帥步騎五千軍於瓜步宋主遣將軍顧彬之俱向建康劭緣淮樹柵自守又決破崗瀆方山埭以絶東軍魯秀等募勇士攻大航克之輔國將軍朱脩之克東府丙子諸軍克臺城劭等並伏誅辛巳如東府城曲赦建康二百里內蠲今年租稅

六月以竟陵王誕爲揚州刺史柳元景爲護軍將軍領石頭戍事

宋世祖孝武帝駿孝建元年正月祀南郊起正光殿二月南郡王義宣反遣使以徐遺寶爲征虜將軍率軍出瓜步尋走死六月罷南蠻校尉遷其營於建康併浚儀於泰

二年九月臨宣武場閱武十月以江夏王義恭領揚州刺史

三年六月聽訟於華林園自是歲以爲常七月以西陽

壬子尚爲揚州刺史

宋大明元年正月建康雨水遣使檢行賜以樵米四月冊陽疾疫遣使按行賜給醫藥死而無收者官爲斂埋五月紫氣出景陽樓迴薄久之改爲慶雲樓

三年二月罷揚州以所統六郡爲王畿七月賜王畿下貧之家蠲租一年九月於玄武湖北立上林苑十二月改築南郊于牛頭山西直宫城之午位

四年正月耕籍田三月后親蠶西郊太后觀禮四月以南琅琊郡隸王畿遣使存問建康秣陵二縣并給

醫藥十二月臨廷尉寺凡囚繫悉原遣又如建康放獄囚

五年正月雪二月閱武於玄武湖詔作明堂于丙巳之地制如太廟七月丙辰丹陽雨水遣使巡行窮獘之家賜以薪粟九月如琅琊郡囚繫悉原初立馳道自閶闔門至于朱雀門又自承明門至于玄武湖省陽都併臨沂江乘置懷德縣隸秦郡郡西南有懷德鄉今屬江浦

六年正月親祀明堂二月策孝秀于中堂四月新作大

航門十月瘞殷貴妃於龍山鑿岡通道數十里七年正月詔於玄武湖大閱水師又巡江右講武二月校獵於烏江巳未登六合山癸亥如尉氏觀溫泉甲子如瓜步山壬申還建康割懷德烏江置臨江郡四月大風折和寧陵華表鍾山通天臺一夕飛倒散落山澗中六月壞高祖所居陰室於其處起玉燭殿八月如建康秣陵縣訊獄囚又臨廷尉訊獄囚十月南巡于行在訊江寧溧陽永世丹陽等縣囚復習水軍於梁山仍減所經田租以王畿之

内郡屬南徐州

八年閏五月宋主駿殂葬景寧陵太子子業立冬建康饑米升百餘錢死者十六七相枕于道命建康秣陵二縣爲薄粥賑之十二月復以王畿諸郡爲揚州

宋主子業永光元年廢臨江郡仍以懷德隸秦烏江隸歷陽七月以石頭城爲長樂宮東府城爲未央宮北邸爲建章宮南第爲長楊宮九月癸巳如湖熟戊戌還建康戊午乃自白下濟江至瓜步十月丙戌還

十一月左右弑宋主子業于華林園湘東王彧立

十二月壬午謁太廟

宋太宗明帝彧 泰始二年 正月晉安王子勛稱帝義熙太守劉延熙等據郡應子勛以庾業代延熙業至長塘湖即與延熙合時四方皆附子勛宋唯保丹陽一郡而永世令孔景宣復叛義興兵垂至延陵内外咸欲奔散兗州刺史殷孝祖入衛丙午宋主親帥六軍出頓中興堂壬子永世民史逸宗據縣爲逆殿中將軍陸攸之平逸宗邑人徐崇之斬景宣溧陽

令劉休文攻景宣別砦斬其黨史覽之等十五人建威將軍吳喜板崇之領縣事喜乘勝進逼義興延熈柵斷長橋保郡自守喜築壘與之相持業於長塘湖口夾岸築城有衆七千人與延熈遥相應接參軍督護任農夫自延陵出長塘業築城猶未合農夫往攻之力戰大破之業棄城走農夫收其船仗進助喜三月原赦揚州囚繫凡逋亡一無所問五月張永蕭道成等與薛索兒戰大破之索兒退保石梁食盡而潰六月建康雨水八月諸將大

破義興兵子勛賜死九月建康大風

二年正月庚午建康大雨雪遣使廵行賑賜各有差

四年正月躬耕籍田三月丙辰臨中堂聽訟歲以爲常

以桂陽王休範爲揚州刺史

六年立總明觀置祭酒一人儒玄文史學各十人以王

景文領揚州刺史

宋泰豫元年四月宋主彧殂葬高寧陵太子昱立六月建

康雨水詔賑卹二縣貧民

宋主昱元徽元年八月建康旱十月割頓丘及鍾離馬頭穀

孰鄭置新昌郡

二年五月壬子江州刺史桂陽王休範舉兵反攻建康即日加中領軍劉勔鎮軍將軍右衛將軍蕭道成平南將軍前鋒南討出屯新亭張永屯白下沈懷明戍石頭袁粲褚淵入衛殿省壬辰道成至新亭治城壘未畢休範前軍已至新林道成率衆拒擊遣校尉張敬兒僞降斬休範其將杜黑蠡攻新亭甚急蕭惠朗率敢死士數十人突入東門至射堂下道成上馬帥麾下搏戰惠朗乃退丁文豪破臺

軍於皂筴橋直至朱雀桁南杜黑蠡捨新亭北趣朱雀桁右將軍王道隆將羽林精兵在朱雀門内急召勔於石頭勔度桁南戰敗死黑蠡等乘勝度淮道隆棄衆走遇害永潰于白下懷明自石頭奔散黑蠡徑進至杜姥宅戊午撫軍典籤茅恬開東府納賊入屯中堂宫省恇擾道成遣陳顯達與敬兒等將兵自承明門入衛丙申大破黑蠡于宣陽門斬黑蠡及文豪進克東府餘黨悉平

三年正月丹陽大火三月丙寅建康大水遣使檢行賑

賜戊辰火延燒數千家五月雨雹

四年七月建平王景素起兵京口命蕭道成屯玄武湖蕭順鎮東府景素不克而死大赦原建康秣陵二縣元年以前逋調

五年七月戊子蕭道成使王敬則等弑宋主昱于仁壽殿而立安成王準癸卯謁太廟八月以司空袁粲鎮石頭十一月中書監袁粲尚書令劉秉據石頭謀誅蕭道成不克而死十二月蕭道成假黄鉞出頓新亭遣兵擊沈攸之

宋順帝準昇明二年 正月沈攸之軍潰走死蕭道成還鎮東府

三年二月地震建陽門四月以秦郡增封齊王蕭道成

道成稱皇帝廢宋主準爲汝陰王築宮丹陽置兵

守衛五月道成弑汝陰王滅其族十二月祠太廟

朱雀航華表柱生枝葉時欲置齊郡於建康議者

以江右土沃流民所歸乃治瓜步隸青州以劉懷

慰爲太守領臨淄華城齊安西安宿豫尉氏平虜

昌國泰莒都郡縣虛置至於分居土蓋無幾焉

齊太祖高帝蕭道成建元二年 正月辛丑親祀南郊乙卯詔發兵拒魏徵南郡王長懋爲中軍將軍鎮石頭五月立建康都墻建康自晉以來外城唯設竹籬而有六門至是改立都墻又以建康居民舛雜多姦盜欲立符伍以相檢括王儉諫曰京師之地四方輻輳若必持符則事煩而理不曠謝安所謂不爾何以爲京師也乃止六月詔丹陽郡遭水尤劇之縣詳所除宥九月以臨川王映爲揚州刺史十二月臨中堂聽訟領軍將軍李安民擒臣盜王元初於

六合山元初宋世亡命聚黨僭號自云吾手過滕
州郡討不能擒積十餘年安民遣軍偵候生擒元
初斬建康市加安民散騎常侍

三年 置三軍于長蘆

四年 二月原建康囚繫有差除元年以前逋責三月齊
主道成殂太子賾立六月詔水潦爲患建康秣陵
貧民賑䘏必周悉九月罷國子學

齊世祖武帝賾 永明元年 正月辛亥祀南郊三月詔京師囚繫
皆原有鰥寡下貧之家加賑䘏以秦郡併于齊罷

齊安

二年六月臨中堂聽訟八月丙午詣清溪舊宮戊申臨玄武湖講武甲子詔建康秣陵空之枯掩骼疾病窮困並加沾賚九月長沙王晃私載數百人仗還建康為禁司所覺投之江水併華城於臨淄

三年二月復立國學七月詔丹陽所領及二百里內見囚同集京師親臨決斷

四年正月辛卯臨中堂策秀才辛亥耕籍田遂臨閱武堂三月臨國子學講孝經賜祭酒助教博士絹有

災祥

五年 六月建康秣陵水遣官長隨宜賑賜七月申詔丹陽溧縣永明三年以前所逋田租非中貲者悉原停十月起新林苑

六年 四月石子岡栢木化爲石九月如琅琊城講武習水步軍

七年 正月普賜建康秣陵貧民六月如琅琊城十二月以張緒領揚州中正

八年 八月建康霖雨遣中書舍人及長吏賑恤

九年正月命豫章王妃祠宣高二帝孝昭二后于清溪故宅牲牢服章用家人禮四月親送魏使李彪至琅琊城命群臣賦詩以寵之九月如琅琊城講武

十年四月以竟陵王子良爲揚州刺史十月臨玄武湖講武十一月霖雨遣使賑賜建康秣陵居民蘭陵民齊伯生於六合山獲金璽一紐文曰年予主

十一年三月震東齊棟崩六月建康霖雨遣使賑之七月齊王賾殂太孫昭業立

齊王昭業隆昌元年正月辛亥祀南郊戊午拜崇安陵七月

蕭鸞弒齊主而立新安王昭文十月鸞自爲揚州牧復廢齊主昭文而自立十一月鸞弒海陵王以始安王遥光爲揚州刺史

齊高宗明帝鸞建武二年正月詔建康秣陵有毁發墳壠隨宜脩理遣將軍王廣之等督諸軍拒魏以太尉陳顯達爲使持節都督西北討諸軍事巡徼新亭白下二月地震魏遣使臨江數齊主之罪而還四月詔三百里内訟獄同集建康魁日聽覽十二月脩晉諸陵增置守衛

齊永泰元年四月大司馬王敬則反至曲阿長岡五月太子寶卷使人上屋望征虜亭失火謂敬則至急裝欲走詔前軍司馬左興盛將軍胡松等築壘長岡已而敬則大敗斬之七月齊主鸞殂太子寶卷立

齊王寶卷永元元年正月祀南郊七月建康大風十圍樹及官舍居民屋皆僵拔丁亥大水詔賜死者材器并賑恤八月丙午始安王遙光起兵東城夜遣數百人破東冶出囚子尚方取仗丙辰詔曲赦建康尚書令徐孝嗣以下屯衛宮城蕭坦之帥臺軍屯湘

宮寺左興盛屯東籬門鎮軍司馬曹虎屯清溪大橋衆軍圍東城三面燒司徒府遥光遣垣歷生出戰臺軍屢敗遥光諮議蕭暢潛出詣臺自歸歷生出戰因棄䂍降至夜城潰斬遥光十一月太尉陳顯達舉兵襲建康以崔慧景爲平南將軍督衆軍擊之將軍胡松李叔獻帥水軍據梁山左興盛督前鋒軍屯杜姥宅十二月顯達敗松於采石遂軍新林興盛帥諸軍拒敵顯達潛軍夜渡以數千人登落星岡新亭諸軍聞之犇還宮城大駭閉門設

守顯達與臺軍戰矟折退走騎官趙潭斬之
二年四月遣平西將軍崔慧景將兵討裴叔業慧景還
兵奉江夏王寶玄逼建康臺遣張佛護徐元稱等
六將據竹里爲數城以拒之佛護元稱降餘四軍
主皆死乙卯遣中領軍王瑩督衆軍據湖頭築壘
上帶蔣山西巖實甲數萬壬戌慧景至查硎分遣
千餘人緣蔣山龍尾自西巖夜下鼓噪臨城中臺
軍驚潰齊主復遣左興盛帥臺內五萬人拒慧景
於北籬門興盛望風退走甲子慧景入樂遊苑崔

恭祖輕騎千餘突入北掖門宮門皆閉慧景師衆圍之東府石頭白下新亭諸城皆潰慧景燒蘭臺府署爲戰場守御尉蕭暢屯南掖門處分城内衆心稍安時蕭懿將兵在小峴𤓰主容遣人告之即日帥胡松李居士數千人自采石濟江頓越城慧景遣軍與戰大敗赴淮死者二千餘人癸酉慧景棄衆走尋斬之五月由於建康六月臨樂遊苑八月甲辰後宮火死者相枕乃大起芳樂玉壽等諸殿

三年三月南康王寶融廢齊主寶卷爲涪陵王而自立
六月涪陵王作芳樂苑山石皆塗以五采七月雍
州刺史張欣泰結王靈秀等率石頭文武奉建安
王寶寅向臺至杜姥宅宮門閉乃散走八月涪陵
遣光禄大夫張瓌鎮石頭以太子左率李居士總
督西討諸軍事屯新亭九月蕭衍引兵東下遣曹
景宗進頓江寧與李居士戰奮擊大破之乘勝至
皁莢橋新亭城主江道林引兵出戰被擒衍至新
林命王茂據越城鄧元起據道士墩陳伯之據籬

門呂僧珍據白板橋居士帥銳卒萬人直來薄壘僧珍分人上城矢石俱發自帥馬步三百出其後内外夾擊居士敗走遂請涪陵燒内岸邑屋以開戰場自大航以西新亭以北皆盡十月涪陵遣将軍王珍國胡虎牙将精兵十萬餘人陳于朱雀橋南奄人王寳孫持白虎幡督戰開航背水以絶歸路衍軍小却茂下馬单刀直前韋叡慶執鉄纏稍以翼之景宗縱兵奮擊珍國等不能抗寳孫切罵諸将将軍席豪發憤突陳而死軍遂大潰衍長驅

至宣陽門諸將移營稍前寧朔將軍徐元愉以東
府城降居士以新亭降瓌棄石頭涪陵閉門自守
衍命諸軍築長圍守之時涪陵遣軍主李叔獻屯
瓜步衍遣使曉諭師衆來降十二月衍兵入含德
殿左右弑涪陵王寶卷衍以太后令追廢寶卷爲
東昏侯入鎮殿中

齊和帝寶融 中興二年 正月遣兼侍中席闡文等慰勞建康四
月梁王衍稱皇帝廢齊王寶融爲巴陵王遷姑孰
衍尋弑之始置六合縣叅秦郡同夏縣於秣陵同

夏里隸丹陽郡餘如故同夏梁主所生里秦郡有山名六合邑以得名按六合嘉定志載晉置秦郡於六合山初非置縣也至是梁武於秦郡置六合縣六合之稱當自梁始故陳伯之將次六合宇文周因以置郡未審孰廢於何時又金陵志云大同初置同夏

五月盜入南北掖神武門總章觀捕得伏誅江州刺史陳伯之集府州僚佐詐稱奉齊建安王寶寅教帥江北義勇十萬巳次六合遂舉兵反遣王茂督衆討之敗走間道渡江乃犇魏八月置

建康三官江東大旱米斗五千民多飢死立長干寺

梁高祖武帝蕭衍天監二年五月梁主斷郡縣獻奉二宮六月幸謝朏宅

三年建康疫

四年正月祀南郊二月立建興苑於秣陵六月初立孔子廟

五年八月作太子宮十一月建康地震

六年三月有三象入建康四月以建安王偉爲揚州刺

史八月建康大水因溝入加御道七尺改閱武聽訟堂爲德陽儀賢

七年正月作神龍仁獸二闕于大司馬外二月新作國門于越城南五月建康大水六月復建修二陵

九年正月新作緣淮塘北岸起石頭迄東冶南岸起後渚籬門迄三橋三月視國子學臨講肆賜祭酒以下帛各有差

十年正月祠明堂初作宮城門三重樓及開二道

十一年三月曲赦揚州築西靜壇于鍾山

十二年　二月新作太極殿四月建康大水六月作太廟增基九尺

十三年　二月耕籍田

梁普通元年　七月江溢

二年　正月置孤獨園於建康收養窮民四月改作南北郊徙藉田于東郊五月琬琰殿火延燒後宮三千餘間

三年　正月建康地震

六年　二月如白下城履行六軍頓所召元法僧元畧還

建康法僧驅彭城萬餘人南渡十二月建康地震

梁大通元年正月朔同泰寺三月幸寺捨身

梁中大通元年建康秣陵疫以身禱於重雲殿九月辛巳朱雀航華表災癸巳幸同泰寺設四部無遮大會再捨身公卿以錢一億奉贖十月還宮

二年正月以晉安王綱爲揚州刺史八月臨德陽堂設絲竹會祖送魏王元悅

四年以邵陵王綸爲揚州刺史

五年正月辛卯祀南郊戊申建康地震二月幸同泰寺

說經五月建康大水御道通船

梁大同二年 十一月建康秣陵地震

三年 正月辛丑朱雀門災壬寅天無雲雨灰黃色八月修長干寺阿育王塔出佛爪髮舍利幸寺設無碍會大赦九月以湘東王繹爲揚州刺史十月建康秣陵地震民飢

四年 正月閱武于樂遊苑

六年 十一月曲赦丹陽郡

七年 二月建康秣陵地震十二月立士林館於宮城西

延集學者

九年自新亭鑿渠通新林浦置江潭苑因侯景亂不果

十一年三月如蘭陵又如京口四月還建康放所經縣邑

今年租調

梁中大同元年三月庚戌幸同泰寺講三慧經四月丙戌

講解是夕浮圖災梁主曰此魔也更宜廣爲法事

遂起十二層浮圖將成值侯景亂乃止

梁太清元年三月復捨身於同泰寺如大通故事九月壬

遊苑成遂臨苑

二年八月侯景舉兵反九月命臨賀王正德屯朱雀門寧國公大臨屯新亭大府卿韋黯屯六門繕修宫城爲備十月已酉景濟横江至于慈湖建康大駭曲赦東西冶尚方錢署及建康繫囚以宣成王大器都督城内諸軍事羊侃副之西豐公大春守石頭謝禧元貞守白下韋黯柳津守宫城諸門及朝堂辛亥景至朱雀桁南太子以正德守宣陽門庚信守朱雀門帥宫中文武三千餘人營桁北正德帥衆於張侯橋叛迎賊景乘勝至闕下大春禧貞

俱棄軍走津主彭文燦等以石頭降景分兵繞城百道俱進羊侃隨方禦之督軍固守十一月景以正德稱帝邵陵王綸帥蕭弄璋趙伯超等入援庚辰營於蔣山景分三道攻綸綸與戰破之乙酉綸進軍玄武湖側與景對陳至暮約明日會戰安南侯駿見景軍退即與壯士逐之景旋軍擊駿敗走乘勝擊綸諸軍皆潰綸奔朱方丙戌鄱陽王範遣世子嗣將軍裴之高等帥衆入援次張公洲範以之高督江右援軍事景悉驅南岸居民於水北盡

焚大街以西廬舍十二月南康王會理將兵及刺史柳仲禮韋粲李遷仕羊鴉仁並入援推仲禮爲大都督部分衆將令韋粲頓青塘

三年正月丁巳柳仲禮自新亭徙營大桁分據南岸會大霧韋粲軍迷失道及青塘夜半立柵未合賊帥銳卒急攻粲營粲拒戰死仲禮聞粲敗往救與景戰青塘大破之稍將及景而賊將自後斫仲禮肩得免二月以景爲大丞相與之盟救止援軍王偉說景背盟三月戊午羊鴉仁進軍東府北與賊戰

大敗丁卯賊攻陷宫城矯詔解散援軍景自加大都督中外諸軍大丞相録尚書事泰郡降景景改爲西兗州四月己丑建康地再震五月梁王衍殂葬修陵太子綱立景出屯朝堂分兵守衛六月景以郭元建爲尚書僕射北道行臺總江北諸軍事鎮新秦永安侯確謀於鍾山討景不克而死

梁太宗簡文帝綱大寶元年四月侯景逼梁主如西州自春迄夏大飢人相食建康秣陵爲甚十一月南康王會理以建康空虚與柳敬禮西鄉侯勸東鄉侯勔謀起

兵誅王偉安樂侯乂理出奔長蘆集衆得千餘人

建安侯賁中宿世子子邕知其謀以告偉偉收會

理等俱殺之乂理爲左右所殺

二年閏三月侯景西寇發建康自石頭至新林舳艫相

接七月敗還八月景廢梁主綱殺太子大器而立

豫章王棟郭元建自秦郡馳還止之景不聽十月

景弒梁王綱廢棟自稱漢帝

梁世祖孝元帝繹承聖元年正月湘東王繹遣王僧辯陳霸先討

侯景三月丁丑敗賊將于姑孰督諸軍至張公洲

乘潮入淮進至禪靈寺前景使人塞淮口沿淮作城自石頭至朱雀街十餘里樓堞相接僧辯問計于霸先霸先曰前柳仲禮以十萬兵隔水而坐韋粲在青溪竟不渡岸賊登高望之表裏俱盡故能覆我今圍石頭須渡北岸壬午霸先於落星山築柵直出石頭西北景亦於石頭東北築五城以遏大路丁亥僧辯霸先分命諸將並進而自以大軍乘之景兵敗進據其柵盧暉畧開石頭城降僧辯入據之景兵與霸先殊死戰景自帥百餘騎衝陳

不動遂大潰東走軍士遺火焚太極殿及東西堂秦郡戍主郭正買等降齊四月景伏誅郡復瘞簡文帝於莊陵時江東飢死者十八九遺民携老幼歸新蔡五月齊主洋使潘樂郭元建將兵圍秦郡行臺尚書辛術諫曰朝廷與湘東王信使不絕陽平侯景之土取之可也今王僧辯已遣嚴超達守秦郡於義何得復爭之且水潦方降不如班師弗從陳霸先命別將徐度引兵助秦郡固守齊衆七萬攻之急僧辯使左衛將軍杜崱救之霸先亦自

歐陽來會與元建戰於士林大破之斬首萬餘級生擒千餘人元建收餘衆北遁九月以王僧辯爲揚州刺史鎮建康

二年正月陳霸先侵齊秦州刺史嚴超達自秦郡進圍涇州南豫州刺史侯瑱吳郡太守張彪皆出石梁爲援六月齊步大汗薩將兵四萬趣涇州王僧辯使瑱彪自石梁引兵助超達瑱彪留不進齊冀州刺史段韶引兵倍道趣涇州進擊超達破之瑱彪還秦郡

梁敬帝方智紹泰元年正月齊遣貞陽侯淵明還建康稱帝以兵納之二月梁王方智立五月王僧辯奉淵明歸建康以梁王方智爲太子陳霸先諫不從九月霸先潛舉兵襲僧辯乃使徐度侯安都帥水軍趨石頭霸先帥馬步自江乘羅落會之安都至石頭北棄舟登岸霸先兵亦自南門入僧辯戰不勝遂被執霸先殺之淵明廢十月復立方智霸先自領揚州刺史秦州刺史徐嗣徽以州入于齊密結南豫州刺史任約將精兵五千乘虛襲建康奄至闕下

安都閉門伏旗幟示之以弱乃夜爲戰備將旦嗣徽至安都帥甲士開東西掖門出戰大破之嗣徽等奔還石頭十一月霸先使徐度立栅於冶城齊遣安州刺史翟子崇楚州刺史劉士榮淮州刺史柳達摩將兵萬人於胡墅度米三萬石馬千匹入石頭霸先使安都夜襲胡墅燒齊船千餘艘令周鐵虎斷齊運輸嗣徽攻冶城栅霸先將精甲自西明門出擊之嗣徽大敗十二月安都襲秦郡破嗣徽栅俘數百人收其家嗣徽大懼霸先對冶城立

航悉渡衆軍攻水南縱火燒其二栅嗣徽與任約引齊兵水步萬餘人還據石頭霸先遣兵詣江寧據要險嗣徽等水步不敢進頓江寧浦口霸先遣侯安都將水軍襲破之絶其汲道城中無水乃請和霸先許之齊人歸北收齊馬仗船米不可勝計江寧令陳嗣據姑熟反霸先命安都等討平之

梁太平元年五月庚寅齊遣蕭軌等與任約徐嗣徽合兵十萬入丹陽縣丙申至秣陵故治霸先遣周文育屯方山徐度屯馬牧杜稜屯大航南以禦之辛丑

齊兵跨淮水立橋柵渡兵夜至方山周文育等各引還癸卯齊兵自方山進及倪塘梁主總禁兵出頓長樂寺侯安都與嗣徽等戰於耕壇南破之霸先潛撤精卒三千配沈泰渡江襲齊行臺趙彥深於瓜步獲艦百餘艘粟萬斛六月甲辰齊兵潛至鍾山侯安都與齊將王敬寳戰於龍尾丁未齊師至幕府山霸先遣別將錢明將水軍出江乘邀擊齊人糧舟遂絕其餉道庚戌齊軍踰鍾山霸先與衆軍分頓樂遊苑東及覆舟山北斷其衝要壬子

齊軍至玄武湖西北據北郊壇霸先引軍自覆舟山東移於南郊與齊人相對會大雨平地水丈餘齊軍日夜立泥中霸先與吳明徹等衆軍首尾齊舉縱兵大戰安都自白下引兵横出其後齊師大潰生執嗣徽追奔至於臨沂其江乘攝山鍾山等軍相繼克捷七月陳霸先自爲揚州刺史十一月起雲龍神獸門

二年十月陳公霸先進爵爲王遂稱皇帝廢梁王方智爲江陰王丙子陳王如鍾山祠蔣帝廟戊寅臨華

林園親覽詞訟十二月庚辰建康大火

陳高祖武帝陳霸先永定二年正月祀南北郊四月甲子享太廟乙丑霸先弑江陰王五月捨身於大莊嚴寺七月新作太極殿如石頭送侯瑱等幸治城寺送臨川王蒨

三年正月夜大雪及旦太極殿前有龍跡見閏四月置西省學士兼取伎術時久不雨如鍾山祭蔣帝廟是日雨至於月晦六月陳王霸先殂葬萬安陵兄子臨川王蒨立

陳世祖文帝蒨天嘉元年正月祀南郊六月葬梁孝元帝於江寧八月臨正陽堂閱武

三年以安成王頊爲揚州刺史

四年四月捨身於太極殿七月曲赦建康秣陵

五年七月曲赦建康秣陵九月城西城

六年七月有大風自西南至廣百餘步激壞靈臺候樓甲申儀賢堂自壞九月新作大航十二月曲赦建康秣陵

陳天康元年四月陳主蒨殂葬永寧陵太子伯宗立

陳主伯宗光大元年　正月祀南郊

二年　十一月安成王頊廢陳主伯宗爲臨海王

陳高宗宣帝頊太建元年　正月陳主頊立辛丑祀南郊戊午享

太廟二月耕籍田

五年　三月壬午分命衆軍伐齊以吳明徹都督征討諸

軍事衆十萬發建康明徹出秦郡四月齊人於秦

郡置秦州州前江浦通涂水齊人以大木爲柵於

水中辛亥明徹遣豫章內史程文季將驍勇拔其

柵克之齊遣開府儀同三司尉破胡長孫洪略救

泰州五月己巳瓦梁城降戊子泰州城降癸巳瓜步胡墅二城降六月治明堂

七年三月移譙州鎮新昌郡以秦郡屬之五月秦郡還隸南兗州六月改作雲龍神獸門閏九月臨樂遊苑採甘露宴郡臣立甘露亭于覆舟山焚文錦于雲龍門

九年七月己卯大雨震萬安陵華表十二月新作東宮成

十年三月震武庫六月大雨震八月改秦郡爲義州九月立方明壇於婁湖以揚州刺史始興叔陵爲王

官伯臨婁湖誓衆十月罷義州及琅琊彭城立建
興郡統六縣屬揚州同夏江乘臨沂湖熟與焉

十一年八月閱武於大壯觀命都督任忠帥步騎十萬
陳於玄武湖都督陳景帥樓艦五百出瓜步江振
旅而還十一月詔左衛將軍任忠都督北討前軍
事帥步騎七千趣秦郡十二月秦郡隋于周周改
爲方州領堂邑方山二縣設六合郡統之尋置石
梁省橫山入焉

十二年六月大風壞陳皐門中闥八月大雨霖詔原丹

陽建興等郡幷謝署田稅

十三年 九月夜大風至自西北發屋拔樹大雨雹遣將軍周羅睺取胡墅于隋隋廢六合郡其方州如故統堂邑尉氏方山

十四年 正月陳王項殂始興王叔陵構逆屯東府城命左右斷青溪道又遣人往新林追其所部兵右衛將軍蕭摩訶帥馬步趣東府屯城西門叔陵欲趣新林爲臺軍所獲伏誅太子叔寶立以長沙王叔堅爲揚州刺史隋兵來侵遣使請和於隋歸其胡

墅四月自建康至荊州江水赤

陳後主叔寶至德元年隋置六合鎮於桃葉山

二年起臨春結綺望僊三閣隋改尉氏縣爲六合省堂邑方山併入仍屬方州

四年九月臨玄武湖閱武

陳禎明元年臨平湖開造太皇寺起浮圖未畢火從中起焚之江自方州東至海赤如血隋崔仲方獻策云陳可伐隋主從之遂大作戰船且使投其柹於江中

二年四月有群鼠自蔡洲岸入石頭渡淮至於青塘兩岸數日死五月東冶鑄鐵有物赤色大如數斗自天墜鎔所有聲隆隆如雷鐵飛出墻外燒民居六月大風拔朱雀門濤水激入石頭淮渚暴溢漂沒舟乘又府城自壞青龍出建陽門井中湧赤霧十月隋命晉王廣秦王俊清河公楊素爲行軍元帥來伐廣出六合凡總管九十兵五十一萬八千皆受廣節度十二月緣江鎮戍相繼奏聞並不省

應天府志卷一終

應天府志卷二

郡紀中

隋高祖文皇帝開皇九年正月乙丑朔陳主朝會群臣大霧四塞晉王廣帥大軍屯六合鎮桃葉山戊辰陳遣南豫州刺史樊猛帥舟師出白下辛未猛與左衛將軍蔣元遜將青龍八十艘於白下遊奕以禦六合兵賀若弼濟京口韓擒虎濟采石諸戍望風走弼分兵斷曲阿之衝而入陳主乃命豫章王叔英屯朝堂蕭摩訶屯樂遊苑樊毅屯耆闍寺

魯廣達屯白土岡東孔範屯寶田寺任忠屯朱雀門晋王廣遣杜彦與擒虎帥步騎二萬屯新林辛巳弼攻京口摩訶請逆戰陳主不許弼遂至鍾山摩訶又請乘壘未堅出兵掩襲又不許任忠固請守臺城緣淮立柵分兵斷江路陳主不能從壬午弼引兵趣孔範範兵暫交即走諸軍大潰弼乘勝至樂遊苑遂燒北掖門擒虎率衆至石子岡任忠降引擒虎徑入朱雀航自南掖門而入獲其王叔寶丙戌晋王廣入建康誅陳都督施文慶等於石

闕下王僧辯之子頒夜殺陳高祖陵二月詔建康城邑宫室并平蕩耕墾更於石頭置蔣州晉王廣班師留王韶鎮石頭以郭衍爲蔣州刺史遂廢丹陽郡省建康同夏秣陵三縣入江寧與溧陽俱屬蔣州餘並廢

十年蔣山李㥄自稱大都督詔楊素爲行軍總管討平之

十一年析溧陽及丹陽故地置溧水縣屬蔣州

十二年復置永世縣屬宣州

十五年七月遣邳國公蘇威巡省江南

十八年併溧陽入溧水詔江南船長三丈以上括入

官

煬皇帝大業元年廢方州更六合句容屬揚州尋立

方山府于上沛領方山縣開邗溝自楊子達六合

四年復以蔣州置丹陽郡領江寧當塗溧水三縣

六年置丹陽郡城

八年密詔江南閱視民間歲貢童女姿質端麗者

九年八月朱爕管崇擁衆十萬餘自稱將軍掠江左

十二月劉元進攻丹陽将軍吐萬緒擊破之衆皆敗死

十二年杜伏威起兵據六合衆至數萬遣光禄大夫陳稜擊破之方山府廢

十三年自淮及江東西數百里絶水無魚十一月起丹陽宫帝欲移居江東會亂不果

唐高祖神堯皇帝李淵武德元年三月隋吳興太守沈法興舉兵攻丹陽下之據江表十餘郡自稱江南道大總管承制置百官七月張童兒帥江東驍果數千人降李

容九月丹陽賊帥樂伯通帥衆萬餘降李子通子通以爲左僕射

二年置揚州東南道行臺尚書省蔣州廢

三年以江寧溧水二縣置揚州又析置丹陽溧陽安業三縣更江寧曰歸化以句容延陵二縣置茅州第江寧句容爲望溧陽溧水爲上六月命杜伏威爲使持節總管江淮以南諸軍事揚州刺史東南道行臺尚書令進封吳王六合時隸南兖州爲緊縣李子通渡江攻沈法興于京口法興敗走吳郡丹

陽等郡皆降于子通杜伏威遣行臺左僕射輔公祏將卒數千攻子通以將軍闞稜王雄誕副之公祏渡江克丹陽進屯溧水子通帥衆數萬拒之公祏簡精甲千人執長刀爲前鋒又使千人躡其後曰退者斬之自帥餘衆爲之殿子通爲方陳而前公祏前鋒千人殊死戰公祏復張左右翼以擊之子通敗走公祏逐之反爲所敗還堅壁不出雄誕以其私屬數百人夜出擊之伏威徙居丹陽

四年　十一月杜伏威執李子通遂盡有淮南江東地

五年　六月杜伏威入朝留輔公祏守丹陽王雄誕典兵
爲之副

六年　八月淮南道行臺僕射輔公祏反殺王雄誕尋稱
帝於丹陽國號宋脩陳故宮室而居之署置百官
詔趙郡王孝恭大使李靖等討公祏

七年　三月孝恭李靖屢破賊衆乘勝至丹陽公祏大懼
棄城東走李世勣追至句容從兵能屬者纔五百
人爲人所執送丹陽伏誅江南平已亥以孝恭爲
東南道行臺右僕射頃廢楊州行臺爲大都督復

置蔣州於金陵割六合西北置石梁縣復方州領之八年復揚州又以延陵句容隸之茅州廢省安業入歸化更歸化曰金陵按金陵志載復揚州于六年上下殊戾據唐地理志正之十二月以襄邑王神符檢校揚州大都督始自丹陽徙州府及居民於江北按揚州治無常處至孫吳復遷建業唐以後則在江都秦觀云自隋以後揚州皆在廣陵圖考因之亦云隋末以江都爲揚州自後揚州之名專

屬江都然唐書所載武德三年以江寧溧水置揚州七年更名八年復揚州是隋雖移治而唐初復置不得云專在江都自是年遷治之後揚始於建業無與而景定志云貞觀七年復治江寧金陵志遂云正觀七年復舊至德中復治江都不免附會觀李敬業起兵揚州欲先取金陵則武后時揚州已在廣陵矣豈得云正觀七年尚在建業而至德中始徙江都哉況江寧更于九年而七年亦無江寧其爲臆說無疑嗣是置江寧郡屬江東道而揚

川屬淮南所隸惟六合一縣凡事關揚州皆不書

九年徙金陵於白下村置白下縣并延陵句容隸潤州以丹陽溧陽隸宣州

太宗文武皇帝貞觀元年廢方州省石梁以六合隸揚州

七年省丹陽入當塗

八年七月江淮大水

九年更白下曰江寧 按圖考云貞觀七年更白下曰歸化九年仍爲江寧縣志因之金陵志云六七年更

曰下曰江寧皆無據以唐書爲正

二十一年勑江南工人造大船

高宗皇帝總章元年江淮旱饑

二年四月徙高麗户於江淮

中宗皇帝嗣聖元年九月英公李敬業起兵揚州薛仲璋說敬業曰金陵負江其地足以爲固且王氣尚在宜先爲霸基後皷行而北敬業遂取潤州太后遣李孝逸往擊之又使黒齒常之將江南兵爲孝逸援既而孝逸軍退守石梁監軍魏貞宰固請

進戰遂敗敬業殺之
九年五月禁屠殺採捕時江淮旱饑民不得捕魚蝦
餓死甚衆
十八年地震
景龍元年十二月遣使詣江淮贖生
玄宗明皇帝開元十四年秋大風自東北來海濤沒
瓜步
天寶元年以六合縣屬廣陵割縣東北境置千秋
十五載十月永王璘反時上皇入蜀命璘領四道節

度使璘子瑒有勇力好兵勸璘以天下大亂惟南方完富宜擄金陵保有江表如東晉故事上聞之敕璘歸覲不從遣淮南節度使高適等討之璘擅引舟師東巡沿江而下明年江南採訪使李成式討璘璘敗走死

肅宗皇帝至德二載正月以江寧縣置江寧郡并領句容溧水溧陽

乾元元年改江寧郡爲昇州統縣如故以刺史帛黄裳爲浙江西道節度使兼江寧軍使治昇州

二年以顏真卿爲浙西道節度使尋召還以侯令儀代之後徙浙西治蘇州

上元元年十一月江淮都統劉展反襲下蜀陷潤州昇州軍士萬五千人謀應展攻金陵不克而遁侯令儀懼以後事授兵馬使姜昌群棄城走昌群即詣展降昇州陷展僞授昌群爲刺史勅兵馬使田神功討之

二年正月田神功遣范知新將四千人自白沙濟趣下蜀展拒擊不勝將軍賈隱林斬之更江寧縣曰

上元昇州廢仍以句容上元屬潤州而溧陽溧水屬宣州 按唐書昇州廢於是年金陵志沿革盡從之而表中復云寶應元年廢昇州者何也此類甚衆不能悉辯 江淮大饑

寶應元年江東大疫人民死者過半

代宗皇帝大曆三年平盧行軍司馬許杲將卒三千人窺淮南詔和州刺史行營防禦使張萬福討之萬福至州杲懼移軍上元又渡江而北萬福追斬之

德宗皇帝建中四年浙江東西節度使韓滉聞朱泚作亂築石頭城穿井近百所繕館第數十修塢壁起建業抵京峴樓堞相屬以備帝渡江時鹽鐵使包佶濟江有守財卒三千爲淮南節度使陳少遊所奪佶與數十人至上元

興元元年議者言韓滉聚兵修城陰蓄異志上疑之以問李泌對曰滉鎮撫江東所以修城爲迎扈之備耳他日又言於帝帝即下泌章令其子皐歸省皐至滉感悅發米百萬斛自送至江上冒風濤而

遣之遂加滉同平章事江淮轉運使

貞元二年魚鱉蔽江而下皆無首六月江溢

八年七月江淮大水害稼溺死人漂没城郭廬舍八

月遣官宣撫

憲宗皇帝元和二年十月鎮海節度使李錡反遣牙

將庾伯良將兵三千治石頭城尋爲兵馬使張子

良所執伏誅

三年江南旱

穆宗皇帝長慶二年江淮饑

三年三月江南旱遣使宣撫以李德裕爲浙西觀察使

四年二月詔江南常貢外無得進奉

文宗皇帝太和四年江南大水害稼

八年夏江淮大旱

開成四年夏江溢大水害稼

武宗皇帝會昌元年七月江南大水

懿宗皇帝咸通元年正月浙東賊裘甫作亂觀察使鄭祗德遣兵討之大敗浙西遣兵赴之宣潤將士

請土軍爲導不果劉䝨說甫宜遣兵過大江掠揚州還修石頭城而守之宣歙江西必有響應者甫猶豫未決詔王式發諸道兵討甫擒誅之

二年江淮旱

七年江淮大水

九年江淮旱蝗十二月龐勛敗官軍乃分遣其將丁從實等各將數千人破烏江遂寇滁和州

僖宗皇帝廣明元年七月黄巢渡江圍六合燒龍津橋淮南將畢師鐸請高駢擊之駢不出兵上表告

急下詔責駢

中和四年江南大旱饑人相食秦宗權遣其將秦賢侵江南所至屠翦焚蕩無遺

光啓元年正月江水赤凡數日

三年四月六合鎮遏使徐約爲周寶所誘遣兵擊蘇州逐其刺史張雄雄遣將趙暉入據上元五月秦彥將宣歙兵三萬餘泝江而下暉邀擊於上元殺溺太半會周寶敗浙西潰卒多歸暉衆至數萬遂治南朝臺城居之服用奢僭閏十一月雄泝江而

上暉以兵塞其中流雄怒攻上元拔之暉奔當塗未至爲其下所殺餘衆降雄悉阬之

文德元年八月楊行密欲襲洪州袁襲曰鍾傳未易圖也趙鍠新得宣州衆心不附公宜甲辭厚幣說上元張雄使自采石濟江侵其境彼必來逆戰公自銅官濟江會之破鍠必矣行密從之雄果爲鍠所敗

昭宗皇帝大順元年復置昇州於上元縣以張雄爲刺史領縣如故　按新唐書地理志光啓三年以上

元等四縣置昇州張雄傳大順初以上元爲昇州

授雄刺史吴録馮弘鐸傳大順元年復以上元爲

昇州命弘鐸爲刺史是時雄尚存綱目通鑑俱從

雄傳且志稱上元廢光啓復者指昇州也上元縣

志誤將紀元作縣名遂以州之興廢爲縣之興廢

云

二年正月孫儒盡舉淮蔡之兵濟江楊行密城戍皆

望風奔潰儒前軍至溧水行密使都指揮使李神

福拒之神福陽退以示怯儒軍不設備神福夜帥

精兵襲之俘斬千人
景福二年七月張雄卒其將馮弘鐸自稱刺史九月
弘鐸叛附于楊行密
天復二年五月馮弘鐸以昇州介宣楊之間自恃富
疆帥衆襲宣州敗走楊行密取昇州以其將李神
福爲刺史
三年九月田頵以楊行密遣李神福攻鄂乘虛襲昇
州得神福妻子善遇之神福東下頵遣使謂之曰
公見機與公分地而王不然妻子無遺神福曰吾

以卒伍事吳王今爲上將義不以妻子易其志斬使者而進請行密發兵顧竟敗死

昭宣帝天祐三年五月楊渥以昇州刺史秦裴爲西南行營都招討使將兵擊鍾匡時

淮南稱唐天祐六年三月徐溫以金陵形勝戰艦所聚乃自以淮南行軍副使領昇州刺史留廣陵以其假子元從指揮使知誥爲昇州防遏兼樓船副使往治之

吳稱唐天祐九年三月徐溫遣都指揮使柴再用帥昇兵納制置使王檀于宣州昇州副使徐知誥爲之副代

李遇遇不受代五月温殺之知誥以功遷昇州刺史辟宋齊丘爲推官

吴稱唐天祐十二年八月以昇州爲都指揮使齊國公徐温巡屬

吴稱唐天祐十四年四月徐知誥治昇州城市府舍甚盛五月徐温行部至愛其繁富潤州司馬陳彦謙勸温徙鎮海軍治所於昇州温從之以彦謙爲節度判官尋治舟師於金陵

吴宣王楊隆演武義二年五月吴王溥立改昇州大都督府爲

金陵府拜徐温金陵尹

吳睿皇楊溥乾貞元年十月徐温卒以其子知詢代鎮金陵

三年八月徐知詢留武昌節度使李簡親兵二千于金陵十一月知詢朝廣陵知誥留之以知諤爲金陵尹

吳太和三年十一月徐知誥表請歸金陵以知誥爲鎮海寧國節度使金陵尹總録朝政

四年二月徐知誥作禮賢院於府舍八月廣金陵城周二十里

五年 五月宋齊丘勸徐知誥從吳主都金陵知誥乃營宮城於金陵

六年 正月徐知誥別治私第於金陵移居之虛府舍以待吳主二月吳主遣宋齊丘諭知誥罷遷都知誥還府舍甲申金陵大火乙酉又大火知誥疑有變勒兵自衛十一月知誥召其子景通還金陵爲鎮海寧國節度副大使判中外諸軍事

吳天祚元年 十月以昇州爲齊王徐知誥封邑

二年 正月徐知誥始建大元帥府十一月命知誥置百

官以金陵府爲西都

三年正月徐知誥建齊國于金陵改金陵爲江寧府牙城曰宮城廳堂曰殿始建太廟社稷置騎兵八軍步兵九軍尋更名誥十月誥稱帝國號唐奉吳主溥爲讓皇遂以六合屬江寧餘縣如故

南唐烈祖徐誥昪元三年正月唐主復姓李氏更名昪立宗廟祀南郊十月如江都欲遂居之以漕運不給十二月還金陵

六年十一月溧水縣天興寺桑樹生木人

七年　二月唐主昪殂三月子璟立七月以金陵尹燕王景遂爲諸道兵馬元帥徙封齊王居東宮

南唐元宗璟保大三年　復割上元南境置江寧縣

六年　改六合爲雄州

九年　十月遷馬希崇之族及將佐千餘人于金陵

十一年　七月大旱井泉涸民饑疫死者過半復置六合縣

十二年　江寧災焚廬舍營署踰月乃止

十四年　四月將軍陸孟俊進攻揚州周韓令坤棄走周

遣張永德將兵救之令坤乃還又遣趙匡胤將兵屯六合匡胤令曰揚州兵有過六合者折其足令坤始有固守之志齊王景達將兵二萬自瓜步濟江距六合二十餘里設柵不進諸將欲擊之匡胤曰彼設柵自固懼我也今吾衆不滿二千若往擊則彼見吾衆寡不如俟其來而擊之破之必矣居數日景達兵趣六合匡胤奮擊大破之殺獲近五千人餘衆尚萬餘爭舟走渡江多溺死者是戰也將士有不致力匡胤陽爲督戰以劍斫其皮笠明

日徧閲皮笠有劒跡者數十人皆斬之由是部兵莫敢不盡死既下六合先鋒石守信遂入渦口克揚州

十五年　十二月周趙匡胤破揚州兵于瓜步

南唐中興元年　周取雄州尋廢之以六合屬揚州五月唐奉周正朔更名景

周世宗皇帝柴榮顯德六年　六月唐主修治金陵城郭

宋太祖神德皇帝趙匡胤建隆二年　二月唐主景徙都洪州尋殂子煜立於金陵

宋開寶四年唐䟦國號曰江南

七年九月遣曹彬將兵發江南十一月潘美造浮梁於采石帥步兵渡江江南主遣鄭彦華督水軍杜眞領步軍逆戰十二月彬等敗其軍於白鷺洲又敗其軍於新林港江南始下令戒嚴

八年正月曹彬遣别將田欽祚敗江南軍於溧水斬其都統使李雄彬自拔昇州城南水砦二月彬又敗其軍於白鷺洲拔昇州關城知揚州侯陟敗其軍於宣化鎮三月彬敗之於江中四月又敗之於

秦淮北時江南兵水陸十餘萬背城而陣潘美率所部先赴兵大潰進圍金陵十月江南都虞候朱令贇自湖口帥衆入援順流而下將焚采石浮梁彬聞之遣都部署王明密令人樹長木於洲渚間若帆檣狀令贇望見疑有伏逗撓不敢進明因移檄諸將犄角之令贇勢促因縱火拒戰會北風其火反及之大潰擒令贇金陵愈危十一月彬夜敗其軍於城下遂克金陵江南主煜降門下侍郎陳喬死之是年復昇州領縣五上元江寧句容溧陽

溧水而六合仍隸揚州

九年置上元都監察五月遣司勳員外郎和峴往江南路採訪

太宗皇帝太平興國二年正月置榷茶場於江南嚴鹽銅禁

八年七月江水溢禁江南私蓄弓劍甲鎧

雍熙元年除江南鹽禁

二年三月江南民饑許渡江自占四月遣使賑之

三年九月蠲昇州二年官所賑貸

端拱元年割溧陽胎德等三鄉益建平縣

淳化元年二月除江南漁禁

三年十月命雷有終制江淮茶鹽

四年二月江南饑遣使巡撫

五年江南疫置上元縣淳化鎮

至道二年以六合縣屬建安軍割縣東境益永貞

三年昇州旱除今年秋稅

真宗皇帝咸平三年江南旱賑之

景德元年閏九月江南旱遣使决獄訪民疾苦祠境

内山川

二年改陶吴鋪爲金陵鎮

大中祥符元年春昇州黄雀群飛蔽日有從空墜者

二年四月昇州大旱火遣御史訪民疾苦蠲被火屋

税

三年八月詔江南轉運使决獄遣使昇州存撫祠境

内山川以連歲亢旱火災故也詔昇州長吏兼安

撫使

四年五月詔葺江寧太平興國寺及寶誌塔殿六月

遣使安撫江淮南水災許便宜從事

五年五月江淮旱給占城稻種教民種之

七年八月除江淮被災民租

天禧元年置常寧鎮于句容改長干寺爲天禧六月除昇州後湖租錢五十餘萬聽民溉田江淮南蝗並言自死八月詔蔣山太平興國寺歲度僧二人給米百石

二年以昇州爲江寧府范仲淹開長蘆西河以避江險

四年江淮稔改句容爲常寧後復舊

仁宗皇帝天聖元年六月罷溧水採丹砂十一月禁江南巫邪

四年六月江淮南大水肆赦蠲租撫流民

六年七月江寧府六合江水溢壞官民廬舍遣使安撫賑卹

明道元年三月江東淮南旱饑遣使與長吏錄繫囚江寧府觀察判官元絳賑濟有方詔於秘書省著作佐郎

二年春詔發運使以上供米賑江東淮南饑民遣使督視饑死者官爲之葬范仲淹請遣使循恤遂命之安撫所至開倉賑貸條陳救弊十事其八則以太后重建長蘆寺于六合役兵糧四萬斛棟宇塑像之資又三十萬緡施之於民可以寬重斂施之于士可以增厚禄施之于兵可以拓舊疆自今願常以土木之勞爲戒

景祐二年十月詔江東歲輸緡錢易以帛

慶曆七年四月詔江東轉運司官楊紘等苛刻並削

職
八年正月江寧府火宮室焚燬殆盡惟南唐玉燭殿
僅存
皇祐三年八月江南淮南饑遣使安撫
四年三月蠲江南路民所貸種數十萬斛
五年江寧府蝗十月令監司諭親民官上民間利害
嘉祐元年五月江溢
四年詔進昇爲大國毋得封以帝始封昇王故也尋
徙江南東路兵馬鈐轄于江寧府

神宗皇帝熙寧元年江寧府飛蝗自江北來

二年下青苗法于江南置常平倉

三年十月詔江寧府織羅務罷差內侍監當

四年罷江南差役輸免役錢

六年溧陽大旱十月賑江淮饑

七年賜江寧府常平米五萬碩修水利

八年正月輟江南東路上供米均給災傷州軍八月

詔發運司體實淮南江東米價州縣所存上供米

減直予民

元豐四年七月大風潮漂蕩沿江廬舍損田稼

七年王安石請以所居上元園屋爲僧寺賜額報寧

哲宗皇帝元祐元年閏二月復常平舊法青苗諸法

俱罷

六年修上元蔣子文祠賜額忠烈

徽宗皇帝建中靖國元年江淮旱

崇寧元年十二月詔江南開運明河自宣化江口至

泗州淮河口

三年六月以江寧府進士侍其瑀經行詔乘驛赴闕

五年正月復置江淮常平都倉遇明河工畢

大觀元年第六合爲望縣詔江寧府控山瞭海大水阻隔山川鞏固嶮不可近以府爲帥府賜溧陽史崇祠額顯惠修茅山元符觀祠

三年江淮大旱守臣曾孝序上言欲將常平司見在諸色錢諸司封樁錢趂時收糴稻種候將來春種出糶與力田之人詔速行之減江寧府歲貢生白瓜子羅二百匹

政和三年江東旱

五年六月江寧府水災
重和元年江淮水詔監司督責州縣還集流民
宣和二年詔減江寧府添差兵官人數
三年正月以方臘反詔金陵守備時王稟守楊子口
劉鎮守金陵賊陷旌德劉延慶退守金陵鎮移廣
德軍四月賊平五月詔江寧守臣兼安撫使并修
府城壁留戍兵曲赦江東路詔發運使陳亨伯內
侍譚稹條具運河措置以聞初稹爲制置使欲開
一河自盱眙出宣化朝廷下發運司相度陳亨伯

遣其屬向子諲視之子諲言運河高江淮數丈遂不果

五年四月置提舉塩事司于江寧府

六年發運使盧宗原開靖安河八十里通於江以避黄天蕩之險六合上元分治之

七年九月知府事盧襄請罷丹陽石臼固城三湖爲圩田

欽宗皇帝靖康二年三月帥府僚屬謀奉康王構渡江左不果五月王即位改元宰相李綱以建康爲

東南都會宜命守臣修葺城池衛尉少卿衛膚敏言建康外連江淮內控湖海爲東南要會中書舍人劉珏亦言金陵天險前據大江可以固守於是宰相而下皆主幸東南之議時江寧府禁卒周德叛執知府宇文粹中殺官吏會經制司屬官鮑貽遜統勤王兵七千至城下德等乃受招安李綱尋次江寧與漕臣李彌遠謀誅首惡五十人其餘部赴行在溧陽縣卒起應德知縣楊邦乂捕滅之事聞遷本府通判詔江寧府儲資糧修城壘以備巡

幸六月置帥府于江寧以知府翁彦國兼江東安
撫使馬步軍都揔管充經制使十月以劉光世爲
江寧府界招捉盜賊制置使命討叛兵
高宗皇帝建炎二年六月詔疎決江寧府繫囚十月
霖雨十一月置江東路提刑司于江寧
三年二月金人入寇遂渡楊子橋游騎至瓜洲乃命
劉光世充行在五軍制置使控扼江口楊惟忠節
制江東軍馬駐江寧金人陷六合統制王亦謀據
江寧不克遁置江寧榷貨務都茶場三月以呂頤

浩爲江南東路安撫制置使會苗傅劉正彦作亂詔至江寧顔浩帥勤王兵萬人討賊五月帝如江寧府駐蹕神霄宫改府名建康第上元江寧爲次赤句容溧陽溧水爲次畿六月太后至建康大霖雨詔郎官以上言闕政以建康府安撫使連南夫兼建康等府州制置使帝移御行宫七月太子旉卒殯於建康鉄塔寺八月太后發建康閏月命杜充兼江淮宣撫使守建康帝發建康如浙西十一月金人犯建康陷溧水縣尉潘振死之岳飛入六

合敗李成成會兀朮攻烏江充閉門不出飛泣諫
請視師充不從虜尋犯溧陽飛遣人夜半馳至縣
殺獲五百餘人擒女真漢兒并僞同知溧陽事渤
海大師李撒八等一十二人及千戶留哥虜入建
康守臣陳邦光戶部尚書李棁迎降充渡江居長
蘆寺遂率麾下叛降通判楊邦乂死之江南大旱
四年四月金兀朮至江上韓世忠先以八千人屯焦
山寺邀其歸路接戰凡數十合敵終不得濟俘獲
甚衆擒兀朮之壻龍虎大王兀朮懼盡歸所掠以

假道世忠不許兀朮循南岸世忠循北岸且戰且行將至黃天蕩兀朮窘甚或曰老鸛河故道今雖湮塞若鑿之可通秦淮一夕渠成五十里遂趍建康岳飛以騎三百步兵三千邀擊于新城大破之兀朮乃復自龍灣出江中欲謀北渡世忠與之相持于黃天蕩豫以鐵綆貫大鉤授健者明旦敵舟譟而前世忠分海舟爲兩道出其背每縋一綆則曳一舟沉之兀朮窮蹙求會語祈請甚哀世忠曰還我兩宮復我疆土則可以相全兀朮語塞又數

曰求再會而言不遜世忠引弓欲射之兀朮亟馳去見海舟乘風使篷往來如飛謂其下曰南人使船如使馬柰何乃募人獻破海舟之策閩人王姓者教其舟中載土以平板鋪之穴船板以櫂槳俟風息則出且以火箭射其篛篷則海舟自破矣兀朮用其策世忠遂潰兀朮乃渡江屯六合輜重自瓜步至六合輣艫相銜不絕五月金人在建康大肆焚掠自靜安鎮渡宣化而去岳飛邀擊金人于靜安大敗之七月兀朮聞張浚將舉兵北伐始自

六合引兵趣陜西八月滁濠鎮撫使劉綱以乏食
率兵奔溧陽十月江東賊張琪犯建康府劉洪道
招降之
紹興元年正月置江東路安撫司治池州以吕頤浩
爲安撫大使九月詔復治建康十一月安撫大使
葉夢得以詔招王才降之榜諭江東群盜赦其脅
從者
二年三月罷江淮發運司五月詔修建康行宮六月
以劉光世爲寧武軍節度使韓世忠爲太尉移屯

建康八月詔孟庚韓世忠總大兵至建康進赴行在罷修行宫十一月令庚世忠措置建康兵馬爲屯田計十二月以光世爲江東西宣撫使置司建康明年移司池州

四年二月作建康行宫七月詔江東安撫司招水軍千五百人十月命劉光世移軍建康以孟庚爲行宫留守張浚尋率兵如建康十一月金人犯六合復犯滁口十二月兀朮屯竹塹鎮爲韓世忠所扼以書幣約戰世忠遣麾下王愈及兩伶人以橘茗

報之且言張樞密巳在鎮江兀术遂有歸意張浚俊遣張宗顔潛至六合出其背襲之不克俊遂屯建康

五年正月以張俊爲江東宣撫使駐建康

六年六月張浚請移都建康以圖中原因命張俊練兵爲進討計十月置營田司于建康十二月命都督府叅議軍事吕祉如建康措置移蹕以建康田十頃賜死節安化郡王王禀家

七年正月置建康御前軍器局築宣化渡城三月帝

移蹕建康減流罪以下囚蠲逋賦及下戶今年身丁錢賜劉光世第于建康四月命守臣增修揚邦乂廟築太廟于建康修濬建康城池七月以六合旱蠲逋租以建康疫甚遣醫行視貧民給錢葬其死者命疏決滯獄詔即建康權正社稷之位十月蠲江東月椿錢十二月中書門下省檢校正官張宗元寓建康槃氷有文如畫佳卉茂木華葉相敷日易以水變態奇出至春暄乃止

八年二月減建康夏稅折輸錢蠲民戶逋租和市科

調以呂頤浩兼行宮留守帝發建康如臨安定都

八月蠲江東月椿錢

九年知府事葉夢得重修府學闢門南向以面秦淮

又作小學于大門之東奏增教官一員

十年三月復營建康行宮六月罷

十一年五月置淮西江東軍馬錢糧所于建康九月

建康大火延燒府治自外門至堂宅皆燬惟軍資

庫及大軍庫無損是年大旱

十五年七月免建康見負官錢十月復免所增上供

米

十六年三月立江東州縣歲較營田賞罰格

十七年建康火九月蠲江東月椿錢

十八年夏江東淮南旱

二十三年八月以建康永豐圩田賜秦檜

二十六年八月蠲建康積欠内帑錢帛

二十七年詔川馬隸建康七百五十匹

二十八年正月遣官檢視江東淮南沙田蘆塲尋增

租課

三十年六月賜城北黑龍神廟額曰孚澤茅山龍神祠額曰廣濟

三十一年九月金主亮大舉入寇以制置使劉錡兼招討使十月錡將王權潰于昭關帝親征詔葉義問督視江淮軍馬虞允文參謀軍事錡命小校何兼資領五十人至六合候望遇神將將兵相助遂敗虜于皂角林亮以軍趍六合欲斷錡軍後十一月朔步軍司統制邵宏淵遣統領崔阜及金人戰于定山敗之義問至建康詔令李顯忠代權金人

犯瓜洲中軍統制劉汜戰敗走權都統制李横亦遁虜鐵騎奄至江上義問惶怖退保建康虜游騎至無爲軍期以翌日南渡允文督建康諸軍統制官張振王琪時俊戴臯等以舟師拒亮于采石大敗之亮遂趨揚州亮屯重兵滁河造三牐儲水深數尺允文命張深守滁河口扼大江之衝以苗定駐下蜀爲援

三十二年正月帝至建康二月發建康復如臨安詔建康立統領姚興廟賜額旌忠十月除上元縣金

陵鍾山慈仁三鄉攤江田租十二月罷建康營田官兵修築建康府城

孝宗皇帝隆興元年正月以張浚爲樞密使都督江淮軍馬開府建康六月詔楊存中先詣建康措置營砦檢視沿江守備立統領王琪廟於建康賜額忠節貶張浚爲江淮宣撫使浚以郭振守六合振屯兵築城八月復以浚都督江淮浚尋至六合勞策應軍馬江東大水悉蠲其租

二年三月詔三衙戍兵歸司建康以王彥爲建康諸

軍都統制四月以建康歸正人爲忠毅軍詔石頭
城置柵以處之七月建康大水浸城郭壞廬舍操
舟行市者累日人溺死甚衆詔賑之并各官陳闕
失八月命江東守臣措置開決圩田十一月金人
犯六合步軍司統制崔臯擊却之郭振統五軍并
殿司軍馬屯六合隸步軍司
乾道元年修築建康府城時青溪湮塞建康多水患
命汪澈指定以聞澈欲依異時河道通柵門入江
從之八月以永豐圩田賜建康都統司

二年正月省六合戍兵以所墾田給還復業之民二月賑江東饑五月修建康行宮尋罷六月廢永豐圩八月降會子交于建康務場令江淮人對換十二月六合武鋒軍壘火

三年六月罷江東總領所營田募人耕佃壯丁各還本屯癃老存留減半請給八月以史正志兼沿江水軍制置使江南北及沿海十五州軍悉隷之十二月增修六合城江東蝗賑之安撫胡昉奏輿尾梁堰入和州以不便六合遂已

四年七月建康水移放生池于青溪十二月減江東明年夏稅和市之半

五年知府事史正志重修鎮淮飲虹二橋上爲大屋數十楹

六年五月建康水城市有深丈餘者人多流徙詔被水縣分人戶今年身丁錢並與放免

七年三月徙侍衛馬軍司戍建康江東旱賑之

八年七月詔免建康府絹二千五百匹

九年正月遣官鬻江東營田及没官田是年旱

淳熙二年建康大旱饑知府事劉珙賑濟之六合螟

詔賑以常平米

三年劉珙立程明道祠十月詔開六合新河

四年建康雨雹民饑

五年閏六月置建康轉般倉雨雹者再

八年建康饑知府事范成大請賑從之

九年盜發柴溝及徐五稱大將軍范成大皆擒誅之

七月六合蝗

十年建康旱

十一年建康雨水七月禁諸州遏糴詔賑䘏之始立
養濟院
十五年五月六合大水
光宗皇帝紹熙元年知府事章森立廂禁軍新營
二年正月修六合城
三年江東水
四年八月賑江東旱傷貧民
五年建康大水賑之仍蠲其賦
寧宗皇帝慶元元年正月詔淮南江東荒歉收養遺

兼小兒修府城北門親兵寨置廣惠倉

四年正月詔有司寬恤江淮流民建康饑軍乏食

六年建康旱賑之

嘉泰元年江東淮南旱賑之仍蠲其賦

四年十一月修六合城

開禧二年十一月金僕散揆分兵入寇進圍和州我

師萬五千駐六合揆偵知之即以右翼掩擊斬首

八千級進屯瓦梁河以控真揚之衝十二月知府

事葉適命石跋定山之人刼敵營得其俘馘以歸

金鮮和州圍退屯爪步先是虜破安豐副都統制畢再遇謂諸將曰六合最要害彼必併力攻之乃引兵赴六合尋命節制淮東軍馬虜行至竹鎮距六合二十五里再遇登城偃旗鼓伏兵南土門列弩城上敵方臨濠衆弩俱發我師出戰聞鼓聲城上旗幟並舉虜驚遁追擊大敗之金萬戶完顏蒲束都千戶泥龎古等以十萬騎駐成家橋馬鞍山進兵圍城數重欲燒坝木决濠水再遇令勁弩射退之既而紇石烈都統合兵進攻益急城中矢盡

再遇令人張青蓋往來城上金人意其主兵官也爭射之須臾矢集樓墻如蝟獲矢二十餘萬紇石烈引兵退已乃益增兵環城四面營帳亘三十里再遇令臨門作樂以示閑暇而間出奇兵擊之虜晝夜不得休乃引退再遇料其且復來白提兵奪城東野新橋出敵之背虜遂走滁州適又遣石斌賢渡宣化夏侯成等分道而往所向皆捷金棄滁遁去郭倪遣前軍統制郭僎救六合遇于胥浦橋敗績倪棄揚州走詔進再遇鎮江都統權山東京

東路招撫司

三年正月詔建康給淮民裝錢遣歸業葉適度沿江地創三大堡石䟦則屏蔽采石定山則屏蔽靖安瓜步則屏蔽東陽下蜀西護溧陽東連儀真緩急應援首尾聯絡東西三百里南北三四十里因言堡塢之成有四利大要謂敵在北岸共長江之險而我有堡塢以爲聲援則敵不敢窺江而士氣自倍戰艦亦可以策勳六合等城或有退遁我以堡塢全力助其襲逐或邀其前或尾其後制勝必矣

三堡成流民漸歸
嘉定元年八月發米賑糶江淮流民
二年建康蝗旱大饑斗米數千錢人食草木詔收養
遺棄小兒
三年盜刼城東南知府事黄度立擒之發帑廪以賑
饑民所活百餘萬口蠲夏税二十餘萬境内始安
四年增置養濟院二所養貧民以五百人爲額
五年建省城樓忠孝堂于卞壼墓側復作晋元帝廟
并祀其臣王導而下三十六人

七年九月詔步軍司淮效人數改充六合守禦禁兵效十一月步軍司請差三千人并三百騎應六合從之江東提舉李道傳撤瓜步山魏主壽像以其地祀山之神

八年四月六合蝗六月詔江淮諭民雜種粟麥麻豆有司毋收其賦田主毋責其租七月建康旱甚發米賑之運使真德秀又合本道義倉及轉般米數十萬斛賑贍仍開東門外新河因役力以食饑民

九年三月詔六合守禦兵效作忠勇左軍尋改爲將

九月詔江東監司覈州縣被水最甚者蠲其租真
德秀創漕司貢院于青溪之西
十年知府事李珏浚珎珠河
十二年三月金人分兵自盱眙犯六合流民渡江避
亂城悉閉金游騎至楊林渡會援兵入乃解去
十四年建康大水
十五年知府事余嶸請于朝建平止倉于廣濟倉左
秋冬糴米貯之春夏乃糶取價平則止之義
十六年九月詔江淮諸司賑恤被水貧民

十七年竄劉下建康增兵防守

理宗皇帝寶慶三年秋溧水澇

紹定二年增收後湖田租遂爲額

四年十二月置江淮安撫制置大使治建康

端平三年冬蒙古寇六合總轄李江降邑人成忠郎趙時哨死之十二月知府事陳韡立義塚於覆舟山

嘉熙元年四月詔兩淮策應軍戰宣化兩軍殺傷相當陣亡將校李仙王海李[illegible]廖雷等贈官有差建

康阜境內流民劉俊等爲亂蒙古復寇六合縣尉程克巳及其妻王氏子附鳳俱死之贈克巳承奉郎附鳳淮西運幹

二年十月淮東總領吳潛言建康杜貞沙有流民十餘萬宗子趙時㬉團結十七寨其強壯二萬可籍爲兵六合郭墅堈塘王峡塔等處又有強壯五千人頭目王瞻義見行劄立硬寨遥與時㬉相爲表裏宜補時㬉官又沙上蘆塲并熟田係長蘆寺及故將張俊莊可得二十餘萬畝賣之以贍流民以

佐砦兵從之潛以沿江制司所調兵船在滁河口

菖蒲蕩等處屢爲蒙古所刼遂分兵時暇選精鋭

過江攻之

淳祐三年知府事杜杲增府學養士田置貢士莊

五年客劄下建康招軍以寧勝爲名分爲六軍其右

軍中軍屯駐府境

六年知府事趙以夫更府學命教堂曰明德堂六月

江淮飛蝗蔽空集食禾豆

七年四月以趙葵爲樞密使督視江淮京湖軍馬兼

知建康行宫留守江東安撫使凡軍中調度並聽

便宜行事

十二年五月詔申儆江防每歲以葺戰艦練舟師勤

惰爲殿最賞罰

寶祐二年三月蠲江淮今年税

四年置御前遊擊軍創營屋三千餘間於武定橋東

五年減溧陽溧水酒息額錢蠲積負除上元江寧欺

隱税額重建府治創安樂廬

六年知府事趙與𥲅奏分建康以下江爲三隘每隘

邏卒百人船十隻往來循視聯絡聲勢從之

開慶元年二月蠲建康沙田租三月知府事馬光祖

奏蒙古兵自烏江還北四月詔賜夏貴溧陽田三

十頃十月以趙葵爲沿江江東宣撫使置司建康

任責捍禦創遊擊新軍寨屋置都統制

景定元年十一月倚閣句容溧陽溧水苗稅

二年六月倚閣上元句容溧水苗稅

三年經畧溧水民田

四年蠲上元江寧溧水苗稅經畧上元江寧民田溧

陽饑知府事姚希得賑之㳙寧江軍自建康太平
至池州列砦置屋二萬餘間屯戍七千餘人
五年知府事馬光祖創先鋒馬寨造屯田倉
度宗皇帝咸淳元年初建郭門又創靜菴于清溪上
及平糴倉助糴庫
二年創制司倉於廣儲倉左五月大雨水遣濟饑民
三年重建貢院於清溪南
四年三月建康疫放免夏稅市利錢十二月詔建南
軒書院于古長千里祠張栻

六年江南大旱

七年江南饑

九年四月以錢六十萬給沿江制置趙溍江防捍禦

十二月免沿江夏秋旱澇屯田租

十年正月推賞權總制施忠部將熊伯明知泰州龔集橫山等處戰功詔減江東沙圩租米什之四十一月元兵南侵乃命制置使趙溍巡江給錢百萬

十二月部下有逃歸謀亂者溍悉誅之命建康賑避兵淮民

帝㬎德祐元年正月趙溍置司於龍灣賈似道舟師過建康以溍爲督府參謀軍事二月師潰于丁家洲趙溍棄城遁都統翁福降三月徐旺榮迎伯顏入城句容溧水溧陽以次降知句容葛衷自殺詔趙淮爲太府寺丞戍銀樹東壩淮起兵溧陽與旺榮戰敗績四月總制霍祖勝攻復溧陽詔以溧陽民兵助戰功特免今年田租十月元兵發建康阿剌罕由西道趨溧水溧陽率高興破東垻至護牙山慶豐圩殺六將并士卒九千餘人十一月銅關

将貝寶胡岩起攻溧水死之贈寶武翼郎岩起朝奉郎江東饑疫六合陷元立行省于建康以伯顏爲平章事統上元江寧句容溧水

二年正月元徐旺榮復陷溧陽趙淮及二妾俱死之元以溧陽隸建康六合隸揚州大都督府三月元伯顏自臨安北還使阿答海張惠阿剌海董文海遷三宮期會于瓜步右丞相文天祥亡入真州與其守苗再成議興復再成曰先約淮西兵趨建康彼必悉力以扞吾西兵指揮淮東諸將以通泰兵

攻灣頭以高郵寶應淮安兵攻揚子橋以揚兵攻瓜步吾以舟師直擣鎮江同日大舉灣頭揚子橋皆沿江脆兵且日夜望我師之至攻之即下令三面合攻瓜步吾自江中薄之雖有智者不能爲之謀矣瓜步既舉以淮東兵入京口淮西兵入金陵要其歸路浙帥可坐致也天祥大稱善即以書遺制置使李庭芝遣使四出結約爲庭芝所疑不果

端宗皇帝景炎二年元罷建康宣撫司設江東建康道提刑按察司江東道宣慰司皆治建康改建康

府爲路知府事爲總管溧陽縣爲溧州設録事司江寧上元句容溧水皆領於路以張弘範爲宣慰使阿八赤爲按察使

三年元改溧州爲溧陽府罷茶運司及營田司以其事隸宣慰改州爲府元史無但金陵志出元人豈置府止一年而史略之歟

帝昺祥興二年元改溧陽府爲路領溧陽縣并録事司

元世祖皇帝至元十七年六月頒行鈔法於江淮廢

宋銅錢七月割建康民二萬户種稻歲輸釀米三萬石官爲運至京師設織染局二

十八年立淘金總管府于建康撥溧水句容民户五千充淘金户官吏苛取甚爲民害閏七月括江南户口稅課

十九年六合水十二月以建康淘金總管府隸建康路

二十年五月蠲江南今年田賦十之二其十八年以前逋負盡免之

二十一年正月立江淮行樞密院治建康以六合屬
真州置溧陽州織染局
二十二年以丞相阿答海同知樞密院事提調江淮
等處軍馬詔江淮民鬻子者官爲贖之仍免醋課
弛魚禁二月設建康翼達魯花赤萬戶隸行院
二十三年二月詔江南學田隸官者復給本學養士
四月移行御史臺治建康五月江東按察司自建
康移宣州設句容生帛局并建康等處哈剌赤戶
計長官于溧水

二十四年閏二月設江南儒學提舉司罷建康淘金總管府設提舉司仍增金課其江南竹木等課尋罷

二十五年二月均江南站户命有司料民户稅至七十石者當馬一匹並免雜徭十月令集賢院鉤考江南學田置財賦提舉司于建康

二十六年二月詔籍江南户口凡北方諸色人寓居者亦籍之五月行御史臺自建康再移揚州禁江南民挾弓矢籍以爲兵

二十七年十一月江淮行省言建康等城跨據大江人民繁會請置七萬戶府從之江南大水發粟以賑流民

二十八年正月免江淮貧民逋租罷淘金提舉司三月溧陽路饑賑之五月改按察司曰肅政廉訪司省溧陽路爲縣復隸建康按罷溧陽路元史在二十七年及攷本紀賑五路饑以溧陽先太平徽州廣德鎮江是路尚未罷也其餘前後多相戾者以金陵志爲正後倣此

二十九年三月行御史臺復移建康移樞密院治鎮江肅政廉訪司治寧國詔江南學田歲入聽其自掌貢士莊田令覈數入官

三十年行樞密院調軍二千餘名於龍灣教習金陵志年表載於是年而歷代職官下又以爲明年事

三十一年六月免江淮今年夏税之半

成宗皇帝元貞元年五月陞溧水溧陽二縣爲中州仍隸建康路建康水七月詔江南地輸鈔

二年六月建康蝗發粟賑之

大德元年移益都新軍萬戶府鎮建康

二年正月建康溧陽水賑之仍弛澤梁之禁二月罷建康金銀銅冶轉運司還淘金戶於元籍歲辦金悉責有司

三年正月免江南夏稅十之三置惠民局擇良醫主之三月罷江東宣慰司建康直隸江浙等處中書行省溧陽大旱七月放江南僧寺佃戶爲編民

四年八月建康儒學灾十二月賑建康饑民

五年七月暴風起東北江溢六合民被灾發米以賑

十一月開後湖河道

六年七月建康民饑以米二萬石賑之

七年二月罷江南財賦總管府及提舉司時溧陽連

年水旱

九年二月蠲江淮租税十之二

十一年建康大饑總管岳天禎勸賑詔免酒醋課

武宗皇帝至大元年建康民饑疫死者相枕于道給

米賑之七月詔免本路夏税十月又免酒課十之

三

二年正月詔蠲江淮被災之家今年夏税及至大二
年以前逋負六月江寧上元溧水句容蝗十一月
復設建康等處財賦提舉司於溧陽
仁宗皇帝延祐元年八月建康大水發廪減價賑糶
十一月詔檢覈江東田税
二年正月勅以江南行臺贓罰鈔賑濟饑民十一月
免江淮夏税十之三
七年四月增淮南江東田賦斗二升
英宗皇帝至治元年起廣運倉於龍灣山前受建康

并江西湖廣財賦就倉裝運下海

二年復罷建康等處財賦提舉司十一月詔免江淮今年包銀及官田租十之二

三年七月免江淮增科糧

泰定皇帝泰定元年六月六合旱江東水傷田

二年正月命懷王圖帖睦爾出居建康蔣山太平興國寺次閏月除江淮剏科包銀

三年建康路饑賑之溧陽六合大水

四年三月遣使往江南求奇異四月建康屬縣并六

合饑賑糧鈔有差

致和元年二月圖帖睦爾復自建康徙江陵

文宗皇帝圖帖睦爾天曆二年八月令臺臣監造龍翔集慶寺南臺御史言上龍潛建業居民困於供給幸而獲覩今日莫不跂望非常之恩今奪民時毀民居以翔佛寺臺臣表正百官委以監造豈其禮哉昔漢高祖復豐沛兩縣光武免南陽稅三年今不務此而隆重佛教何以慰斯民之望佛教慈悲方便今尊佛氏而害生民無乃違其教乎乃免惟給鈔萬錠

爲寺置永業以江淮財賦都總管府隸宣政院供
皇后湯沐設集慶萬壽營繕都司改建康路爲集
慶路是年旱饑勸率富民賑糧一月
至順元年二月命市故瀛國公趙㬎田爲大龍翔集
慶寺永業三月集慶路饑五月免江淮夏稅十之
三七月江南水十二月詔龍翔集慶寺工役佛事
江南行臺悉給之復設江淮提舉司隸昭功萬戶
府
四年五月句容大水五棊山崩六月以江淮饑減今

年夏稅秋江寧不雨

順帝元統二年三月官兵獲劇盜曹福四等於秦淮并賊屬船隻器仗贓物餘黨散走秋江寧旱革萬壽營繕都司

至元元年六月罷集慶財賦提舉司以其事歸有司

二年四月以集慶廬州饒州禿禿哈民戶賜伯顏仍於句容設長官所領之溧陽大水

三年三月發義倉糧賑溧陽饑民六萬九千二百人溧水知州李衡言站戶消乏於溧陽僉補從之

四年浚臺治後溝故道東接清溪西通柵寨至清凉寺下會秦淮河

五年設常平倉於舊廣儲倉所上元挑浚龍光河自笑子橋經石頭城下至馬鞍山

六年三月詔賜江南行臺御史中丞史惟良上尊束帛

至正元年詔立曹南王阿剌罕祠於集慶仍賜官田一十頃是後揚子江一夕忽竭舟楫皆閣于塗中露錢貨無數蓋累年覆舟遺物也人爭取之潮至

輒走潮退復然累日江始安流識者曰此江笑也後果先失江南

二年監察御史許儒抃建言重建卞忠貞公祠三月總管府治火

三年十二月浚後湖并陰山河道後湖上至鍾山鄉珎珠橋下接金陵龍灣大江通一十七里陰山則上至官庢鋪下至毛公渡中分新舊兩河

七年九月集慶盜起鎮南王孛羅不花討平之十二月沿江盜起有司莫能禁兩淮運使宋文瓚言䟤

將非人致賊艦往來無常集慶花山賊才三十六人官軍萬數不能進討反爲所敗後竟假手協徒雖能成功豈不貽笑遠近宜亟選智勇以圖後功不然則東南財賦恐非國家有不聽
八年二月以星吉爲江南行臺御史大夫
九年七月大霖雨江溢漂沒民居禾稼
十二年二月江淮盜起以御史大夫納麟爲江南行臺御史大夫仍太尉設僚屬總制江浙江西湖廣三省軍馬至則修築城郭已而賊陷溧水溧陽蔓

延句容略上元江寧游兵至鍾山集慶甚危納麟乃治兵部署士卒命治書侍御史左答納失理守城中中丞伯家奴戍東郊是時湖廣行省平章政事也先帖木兒軍和州納麟遣使求援復促其行也先帖木兒引步騎度采石至臺城入候納麟納麟喜即以其故聞于朝已而也先帖木兒兵東趍秣陵殺賊二千餘人平湖熟鎮盡復上元江寧境乘勝入溧陽溧水賊潰奔廣德其據龍潭方山者奔常州閏三月詔納麟以便宜行事

十三年秋六合旱逹魯花赤伯士寧禱之雨時兵亂
徐泗獨縣境肅然明年乃遭兵燹

應天府志卷二終

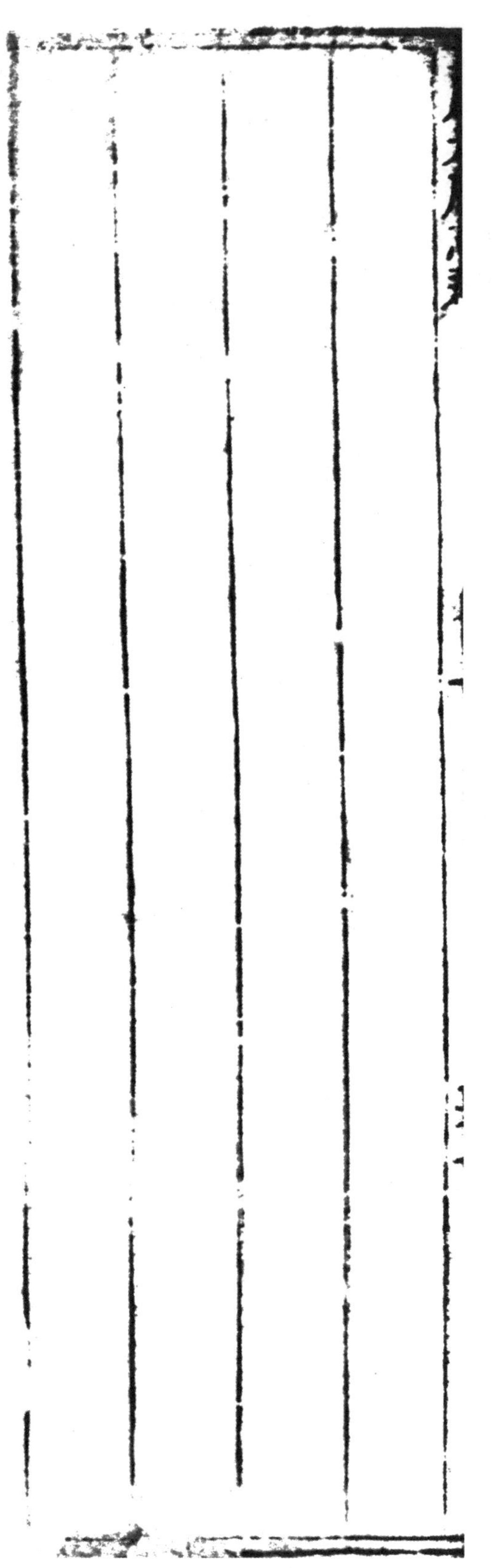

應天府志卷三

郡紀下

甲午十月

太祖起兵滁陽時元將脫脫兵圍六合六合甚恐遣使求救中夜至

太祖將納之郭子興與其帥有隙怒不許

太祖謂子興曰六合受圍無救必斃六合斃將及滁不宜以小憾而棄大事也子興意少解議遣將援之當是時元兵號百萬諸將畏莫敢往皆以禱弗

吉辭
太祖曰事斷於心何必禱也於是率師東之六合與
耿再成守瓦梁壘元兵攻之急每攻壘垂陷暮始
去明旦
太祖復完壘與戰如是數四
太祖乃以計紿之歛兵入舍褁糗糧使人挑戰元兵
相視錯愕環壘不敢逼乃列隊出徐引而去遂還
滁
乙未六月既克太平

太祖問陶安曰吾欲取金陵如何安曰金陵古帝王之都龍蟠虎踞限以長江之險若取而有之據其形勝出兵以臨四方則何向不克言合

上意後定鼎云命徐達取溧水州州官鈌同知率民楊洪等歸附八月取溧陽九月命張天祐攻集慶破左荅納識里營時元以江南行御史臺大夫福壽守集慶陳埜先叛與福壽合拒戰於秦淮水上天祐與郭元帥戰死埜先襲溧陽民兵百戶盧德茂誘殺之

丙申元將陳兆先屯兵方山蠻子海牙走集慶三月
朔
太祖率諸軍向金陵水陸並進至江寧鎮破兆先營
擇其驍勇五百人入衛皆先登陷陣進攻金陵未
及城五里諸軍鼓譟而進以雲梯登城城中莫能
支福壽督戰死康茂才等來降得軍民五十餘萬
太祖入城諭父老曰元失其政所在紛擾吾來爲民
除亂耳各安職業毋恐賢人君子有能相從者吾
禮用之舊政不便者吾爲爾除之民大悅改集慶

路爲應天府置上元江寧二縣别將取句容以千戶王真守之溧陽溧水二州隸焉六合仍屬揚州

七月置江南行中書省

丁酉五月上元進瑞麥一莖二穗者二十八

太祖閱軍于大通江青軍元帥張明鑑降命悉送其將校妻子至應天賑給之

庚子三月徵劉基章溢葉琛宋濂至金陵閏五月陳友諒潛約張士誠侵金陵

太祖欲速其來使康茂才佯叛約爲內應友諒信之

太祖乃令李善長撤江東橋易以鐵石又於新河口跨水築虎口城以兵守之馮國勝常遇春伏帳前五翼軍於石灰山傍徐達軍南門外楊璟屯大勝港張德勝朱虎帥舟師龍江關外

太祖總大軍於盧龍山令持幟者偃黄幟於山之左偃赤幟於山之右戒曰寇至則舉赤幟黄幟舉則伏兵皆起各嚴師以待乙丑友諒果引舟師東下至大勝港璟整兵禦之友諒復退出大江徑以舟衝江東橋始康茂才與友諒約時乃木橋也及友

諒見橋皆鐵石驚疑不敢進乃率舟千餘向龍灣先遣萬人登岸立柵其勢甚銳時方暑

太祖衣紫茸甲張蓋督兵見士卒流汗命去蓋衆欲戰

太祖曰天將雨諸軍且就食當乘雨擊之時天無雲衆未之信也忽雲起東北須臾雨大注赤幟舉諸軍拔柵競前友諒麾其軍來爭戰方合雨止命舉黄幟於是馮國勝常遇春伏兵起徐達兵亦至張德勝朱虎舟師並集内外夾攻友諒披靡不能支

遂大潰又潮退舟膠淺不能動殺溺死者無筭俘卒二萬餘人降其將張志雄等友諒乘别舸走

辛丑二月置溧水州茶局築溧陽州城

癸卯二月申明將士屯田之令初命諸將分軍於龍江等處屯田惟康茂才屯政修舉軍餉有餘至是乃申飭諸將

丙午八月拓金陵城命劉基卜新宫于鍾山陽在舊城東白下門外二里許增築新城東北盡山址延亘五十餘里據山川之勝十二月設瓜埠至汊河

泊所

吳元年正月免應天租稅一年五月句容麥生一莖二穗十月設瓜埠巡檢司

大明

太祖高皇帝洪武元年二月以立國之初經營興國必資民力命中書省驗田出夫省臣奏應天等府田一頃出夫一人名曰均工夫

上曰民力有限徭役無窮當思節其力毋重困之自今凡有興作不得已者暫借其力至於不急之務

浮浜之役宜罷之六月民居火延及永濟倉八月

己巳朔詔以金陵爲南京設浦子口巡檢司

二年正月丙申詔免應天税糧乙巳立功臣廟於雞

籠山二月壬午耕耤田於南郊應天知府上江二

知縣率庶人終畝是日勞百官耆宿於壇所五月

乙巳幸鍾山歸由獨岡步至淳化門始騎而入謂

侍臣曰朕久不歴農畝適見田者冒暑而耘困憫

其勞不覺徒步至此國之百需皆其所出爲司牧

者亦曾念之乎朕爲此惻然于心也六月

上召諸老臣問以建都之地衆議不一
上曰建業長江天塹龍蟠虎踞江南形勝之地眞足
以立國十月壬戌朔甘露降于鍾山群臣請告廟
頒之史館
上不許改溧陽溧水州爲縣令府縣立學
三年三月免應天今年租稅五月詔應天開鄉試六
月旱
上躬禱山川三日雨四郊霑足是年進應天知府蘭
以權爲府尹

四年築浦子口城

五年正月庚午五色雲見六月句容獻嘉瓜二實一

蔕

上御武樓受之製嘉瓜頌賜民千錢十月詔免應天

今年秋糧十一月設六合稅課局

六年正月置上元縣巡檢司

七年十二月鑿石灰山河

八年命諸縣立社學八月大旱

九年二月詔免應天今年二稅設崇邑驛五月水溢

析六合及滁和二州地置江浦縣屬應天府

十年正月雨水如墨汁二月遣官享先農命應天府官率農民耆老陪祀三月增置六合牧監設群七隸太僕寺牧種馬十月有虎白日入漢西門傷人

詔釋在京徒役

十一年八月詔免應天秋糧

十二年遣應天府官祀歷代忠臣漢蔣子文晉卞壼南唐劉仁贍宋曹彬元福壽凡五廟五月詔免田稅

十四年十月詔應天府今年秋糧減官田之半民田蠲免以國學爲府學上元江寧二學省入添設訓導二員

十五年四月賜學田糧定爲府州縣三等惟應天獨一千六百石吏一人司出納免應天今年夏秋稅糧

十六年二月命府縣歲貢生員各一人自明年始五月詔免應天今年稅糧

十七年三月頒科舉式三年大比直隸府州縣則四

應天府其舉人則國子學生及府州縣學生之學成者儒士之未仕者官之未入流者皆由有司擧性資敦厚文行可稱者應之

十八年四月五色雲再見造應天賦役冊定民戶上中下三等凡徭役取驗

十九年六月詔應天民年八十以上賜爵里士九十以上賜爵社士皆與有司爲禮復其家十二月造通濟聚寶三山洪武等門新築後湖城幷廊房街道

二十年二月以孝廉李德為應天府尹乙未耕耤田宴群臣于田所六月免應天今年馬草閏月申諭爵高年詔東葛等驛置馬四十匹以蘇松常鎮嘉五府市民為馬夫十月徙建歷代忠臣廟于雞鳴山之陽命應天以四孟月及歲除日祭歲以為常十一月丁亥卿雲見是年溧陽大旱

二十一年五月

上以將校軍士給俸糧倉庾不便欲將民租定撥令應天府以今歲民租先對一衛試行之便軍民則

著爲令

二十二年以揚州六合屬應天府

二十三年閏四月詔蠲六合馬户民田租官田減半永爲定例五月設各縣預備倉八月遣老人賫鈔收糴應天所屬州縣備荒糧儲

二十四年二月種桐棕漆樹于朝陽門外鍾山之麓七月取富民充實京師割江寧沙洲鄉屬江浦縣撥江淮衛馬船于江淮浦口二渡

二十五年九月鑿溧陽銀墅東壩河

二十六年四月大旱求直言録囚徒八月命崇山侯
李新往溧水縣督視有司開臙脂河
上諭之曰兩浙賦税漕運京師歲費浩繁一自浙河
至丹陽舍舟登陸轉輸甚勞一自大江泝流而上
風濤之險覆溺者多朕甚憫之今欲自畿甸疏鑿
河流以通于浙俾輸者不勞商旅獲便故特命爾
往督其事爾其蒞事惟勤役民勿暴暨河成人皆
便之
二十七年正月令以預備倉糧貸貧民 建漢壽亭侯

關羽廟于鷄鳴山之陽應天歲同五廟祀之二月置溧水稅課局批驗鹽引所東壩巡檢司各一八月新建京都酒樓成初

上以海内太平思欲與民偕樂乃命工部作十樓于江東門之外令民設酒肆其間以接四方賓旅其樓有醉仙重譯等名既而又增作五樓至是皆成

賜文武百官鈔宴于醉仙樓

二十八年九月免應天今年秋糧草六合牧監添設

管馬主簿

二十九年溧陽大旱禾槁八月免應天今年秋糧

三十年八月命工部建牧馬草場于六合

革除元年三月地震

四年溧陽地震蝗遍野六月

成祖駐師龍潭自金川門入金陵工部右侍郎黄福

言應天五府例免稅糧歲召役其丁夫一月

上曰五府州興王之地

先帝特加優恤須以兵興煩於供給今方遂寧未宜

勞之宜蠲今年之役

成祖文皇帝永樂元年四月設溧水廣通鎮閘壩官一員初溧水民言溧陽溧水田地窪下數罹水患乞於廣通鎮置閘以備瀦泄命工部遣人視之還言二縣水由固城湖上納寧國廣德諸水每遇霖潦即注縣境且臙脂河與石臼湖諸水不入大江而奔注蘇松皆被其患宜於臙脂山廣通鎮及固城湖口二處築閘壩設官掌之爲便從之十一月罷遣浚河民夫初內河壅塞發應天五府均工夫浚治適寒沍

上召工部尚書黄福等謂曰民供役久衣食未必盡給今且劇寒其各賜鈔二錠罷遣未畢之工令京衛軍士次第成之

二年二月遣應天府官祭先農命郡縣耆老陪祀著爲令十二月禁中官私役應天工匠設六合驛後革是年地震

三年三月浚溧陽臙脂河五月修蔣子文廟

六年府學灾

十三年九月溧水大水

十五年九月定應天養馬例初洪武中令應天等府州民牧養至是定江北五丁江南十丁各養一馬

十六年江寧縣治火

仁宗昭皇帝洪熙元年正月遣官巡行應天察民利病二月

上思先朝舊勞贈應天府丞張執中爲府尹遣官賜祭四月地屢震六月地震十二月又震

章宗宣皇帝宣德二年二月地震

四年正月地震

五年九月始命周忱爲工部侍郎巡撫應天等府六
合饑遣官勸賑
六年溧陽饑
九年溧水大旱
英宗睿皇帝正統元年始命監察御史彭勗提督南
畿學校革溧陽稅課局
二年府尹鄺埜奏併上元江寧坊廂始僉坊長約徵
櫃銀
四年添設通判一員管馬

八年溧陽夏旱秋澇

十一年復溧陽稅課局

十二年五月六合蝗

十三年龍潭江水奔潰

十四年六月丙辰震雹風雨交作火詔赦賑恤

景皇帝景泰元年溧水大水平地三尺

四年正月定應天鄉試解額一百三十五名

六年江水泛漲溧陽夏秋大旱民饑疫

英宗睿皇帝天順元年溧陽縣治火延民居殆盡

五年五月江南北大水
七年冬溧陽學灾
八年溧水水
憲宗純皇帝成化元年七月勑應天巡撫賑濟饑民
停府屬解馬減江浦種馬以水災故
二年四月上元等縣饑民相食命戶部議賑之
四年夏溧陽溧水大旱
六年四月句容溧陽溧水江浦六合大水免稅
七年民饑遣官巡視府學災

八年七月大風雨江溢議恤之
九年七月以水旱災免上元等縣去年秋糧
十一年六合火延燒千餘家
十二年正月辛亥地震有聲
十七年二月地震猛虎近城殺人行守臣優恤溧陽
春夏大旱七月大雨水溢
十八年正月命糶常平倉糧時歲饑南京戶部請減
價糶以濟民候秋成平糴還倉巡撫尚書王恕以
官田糧重民田糧輕奏准將府屬官田減耗民田

勸米以補官田原額

十九年正月溧陽大雪七日樹冰如花

二十一年秋溧水大旱

二十二年九月民饑

二十三年設雲亭驛

孝宗敬皇帝弘治元年溧水大旱停江浦六合解馬

三年工部奏准將府屬蘆洲起科納課

四年析溧水西南地置高淳縣屬應天府

五年冬六合大雪

七年夏溧水大水九月大風屋瓦俱落是年遣官覈府屬草塲

八年十月地震

十四年十月溧陽地震

十六年江潮入望京門浦口城圮遣官祭告江神六合大饑發粟賑之巡撫都御史彭禮等奏豁府屬江南六縣種馬

十八年六月霖雨七月大風拔木九月溧陽地震是年革江寧江浦六合管馬主簿

武宗毅皇帝正德三年溧陽溧水高淳旱

四年六月空中有聲自北來如數萬甲兵都民震恐

踰月方止冬大雪樹皆枯死

五年溧陽溧水高淳大水傷稼蠲租

七年閏五月流賊劉六等下楊子江官軍列屯江岸

遣兵與戰敗績賊舟上下江中至六月七月復過

都城城中閉門拒守殺掠幷暍死者近千餘人高

淳學火

十二年夏六合霖雨滁水泛溢街衢乘船筏往來漂

沒廬舍甚衆
十四年六月宸濠舉兵反應天巡撫李充嗣飛章告
變令守備官分兵防江溧陽大水
十五年溧陽水六合大風潮沒民田廬
世宗肅皇帝嘉靖元年七月大風自江北來屋瓦皆
飛樹木盡拔以府屬水災减田塲租稅
二年大旱米價騰湧人相食遣侍郎席書賑之仍蠲
馬價
三年自春至夏疫癘大作死者相枕于道巡撫都御

史吴廷舉等奏准宣城代高淳驛傳以補養馬費

五年府尹王𡢃奏革額外夫役幷給鋪行價錢鈔折

銀十二月高淳始築城

六年奏減上元江寧馬價

七年溧陽大旱

八年六合蝗飛蔽天革管馬通判及上元等縣主簿

各一員

十年江溢没江浦六合田夏溧水大水没民居復管

馬通判

十一年夏秋六合溧水蝗
十四年溧陽江浦六合蝗旱賑之
十五年句容蝻生溧陽雨雹
十六年夏六合水巡撫都御史歐陽鐸奏准均攤田賦始秋糧帶徵里甲米
十七年句容大水溧水東廬馬鞍等山蛟出蕩邑城溺人
十八年六合雨水樹木多折
二十三年夏秋大旱民饑

二十四年夏大旱

二十七年南京科道奏准加徵府屬蘆課

二十八年溧陽大水

二十九年七月六合蝗

三十一年夏六合疫

三十三年四月倭寇竊發居民皆逃避入城守臣復調外兵屯聚仍令民運磚上城防護燈火徹于晝夜數月乃定句容始築磚城六合旱

三十四年夏六合麥大稔六月水沒田禾七月倭奴

五十人由太平至板橋沿江焚掠遣指揮蔣陞千
戶朱襄帥兵禦之至櫻桃園敗沒城中震恐賊遂
轉掠鳳臺夾岡等門八月掠溧水至溧陽盡殲之
十二月地震
三十五年二月六合地震
三十六年五月海寇入天長六合戒嚴苗兵青州兵
來禦民大擾溧水築石城
三十七年革府稅課局
三十八年四月雨雹七月地震溧陽大旱始奏派海

防銀於府屬

三十九年七月江水漲至三山門秦淮民居有深數尺者至九月始退漫及六合高淳冬大雪禽鳥戢翼凍死木氷如花十二月夜震

四十年溧陽大水平地深及丈瀰望成川七月地震

四十一年溧陽大疫六月六合大風拔木水溢

四十二年二月震大報恩寺火遂作一夕俱燼

四十五年六月六合大雨水傷禾十二月大雪二十餘日民有凍死者

穆宗莊皇帝隆慶元年是年鄉試增十五名革東葛
城驛
二年革溧水稅課局
三年始奏行一條鞭法丈量府屬田畝革許家埠牛
兒港河泊所閏六月潮沒瓜埠壞民田廬
四年正月火一夕數發踰月方止冬六合饑奏准府
屬變賣種馬之半免蘆洲逋課革江浦訓導一員
今上皇帝萬曆元年奏加江防銀於府屬江浦始築
土城

二年巡撫都御史奏准移鎮句容

三年五月奏准除府屬秋粮帶徵里甲米三萬二千九百石有奇減里甲均徭驛傳銀二萬九千五百餘兩坊夫銀二千一百兩及革里甲朋役拾丁排門小夫諸名色著爲定例

四年奉詔建表忠祠於治城之東三月雨雹十月雷

五年春不雨井泉多竭河可涉

論曰應天古揚州域三代而前僻在徼壤文獻亡所徵自吳楚爭雄攻戰方始嗣後南北分治其聲

名文物廼獨盛於東南豈地氣固有時而轉移哉大江表土力綿薄古云輕揚而聖祖肇基遂成帝業化行俗美抑用之者殊也故吳越用之霸強六朝用之抗衡中原聖祖用之統一華夷其盛衰之理因可概見是用纂集舊聞國政民風之大災祥治亂之略備于此矣

應天府志卷三終

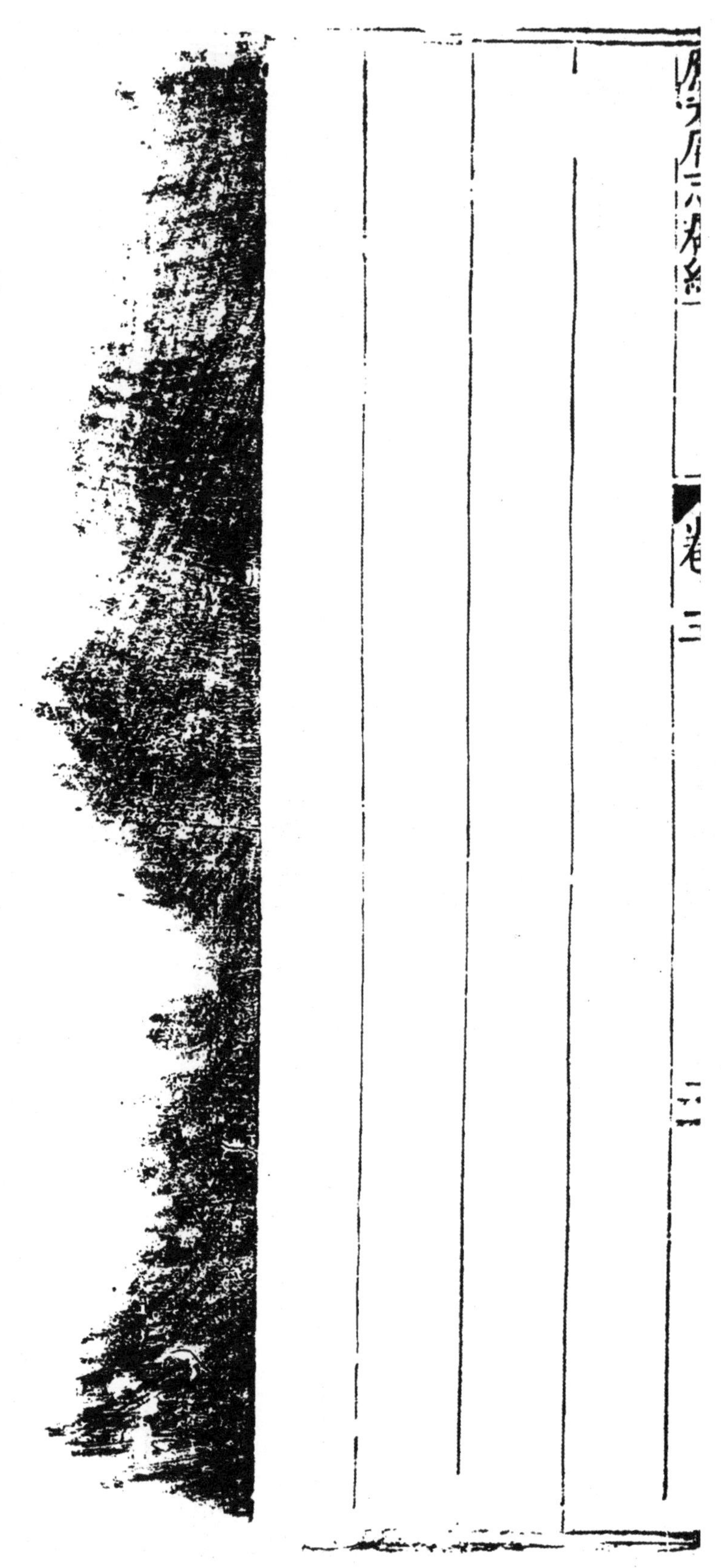

應天府志卷四

沿革表

郡國既建時維揚服襟江帶淮輿衍之域吳晉梁宋瓜分龜坼　昭代隆興制迺畫一作沿革表

周			
靈王十三年	楚		棠邑
景王四年	楚		棠邑
	吳		瀨渚邑
五年	楚		棠邑

	吳		陵平邑
十六年	楚		棠邑　平陵邑
敬王三十四年	吳		棠邑　平陵邑
元王三年	楚		棠邑
	越		平陵邑
顯王三十七年	楚		棠邑　平陵邑　金陵邑
秦			
始皇二十六年		鄣郡	秣陵　溧陽
		九江郡	棠邑

年	國	郡	縣
三十七年		鄣郡 九江郡	秣陵 丹陽 江乘 溧陽 棠邑
漢			
高帝六年	荆國	鄣郡	秣陵 丹陽 江乘 溧陽 棠邑侯國
元光六年	江都國	鄣郡	秣陵 丹陽 江乘 溧陽 棠邑侯國 句容侯國
元朔元年	江都國	鄣郡	江乘 溧陽 句容 棠邑侯國 丹陽侯國 湖熟侯國 秣陵侯國

年	國/州	郡	縣
元狩元年	江都國	鄣郡	丹陽 江乘 溧陽 句容 棠邑侯國 湖熟侯國 秣陵侯國
元鼎元年	廣陵國	鄣郡	丹陽 江乘 溧陽 句容 湖熟侯國 秣陵侯國
		臨淮郡	堂邑
五年	廣陵國	鄣郡	秣陵 丹陽 江乘 湖熟 溧陽 句容
		臨淮郡	堂邑
元封五年	揚州	丹陽郡	秣陵 丹陽 江乘 湖熟 句容 溧陽 永平

	徐州	臨淮郡	堂邑
建昭元年	揚州	丹陽郡	秣陵 丹陽 江乘 湖熟 句容 溧陽侯國
	徐州	臨淮郡	堂邑
新莽天鳳元年	揚州	丹陽郡	宣亭 丹陽 相武 湖熟 溧陽 句容
	徐州	淮平郡	堂邑
漢			
建武六年	揚州	丹陽郡	丹陽 秣陵 江乘 溧陽 句容 湖熟侯國

		廣陵郡	堂邑
建安十七年	揚州	丹陽郡	建業 丹陽 溧陽 句容
		廣陵郡	堂邑
章武元年	吳	丹陽郡	建業 丹陽 句容 溧陽 永安
	魏	廣陵郡	堂邑
吳永安七年	揚州	丹陽郡	建業 丹陽 句容 溧陽 永平
		廣陵郡	堂邑
晉			
太康元年	揚州	丹陽郡	秣陵 臨江 丹陽 句容 溧陽 永世

年	州	郡	縣
	徐州	臨淮郡	堂邑
二年	揚州	丹陽郡	建鄴 江寧 丹陽 江乘 湖熟 秣陵 永世 溧陽 句容
	徐州	臨淮郡	堂邑
元康七年	揚州	丹陽郡	建鄴 丹陽 江乘 湖熟 秣陵 永世 溧陽 句容
		堂邑郡	堂邑
永興元年	揚州	丹陽郡	建鄴 丹陽 江乘 湖熟 秣陵 溧陽 句容

年	州	郡	縣
		義興郡	永世　平陵
		堂邑郡	堂邑
永嘉元年	揚州	丹陽郡	建鄴　江寧　丹陽　江乘　湖熟　秣陵　永世　溧陽　句容
		堂邑郡	堂邑
四年	揚州	丹陽郡	建鄴　江寧　丹陽　江乘　湖熟　秣陵　溧陽　句容
		義興郡	永世　平陵
		堂邑郡	堂邑

年代	州	郡	縣
建興元年	揚州	丹陽郡	建康 江寧 丹陽 江乘 湖熟 秣陵 溧陽 句容
		義興郡	永世 平陵
		堂邑郡	堂邑
隆安元年	揚州	丹陽郡	建康 江寧 丹陽 江乘 湖熟 秣陵 溧陽 句容
		義興郡	永世 平陵
		泰郡	堂邑 尉氏
宋永初二年	揚州	丹陽郡	建康 秣陵 丹陽 江寧 湖熟 永世

年代	州	郡	縣
	南豫州	秦郡	溧陽 句容 平陵 秦 尉氏
元嘉九年	揚州	丹陽郡	建康 秣陵 丹陽 江寧 湖熟 永世 溧陽 句容
	南兖州	秦郡	秦 尉氏
魏 太平真君元年	揚州	秦州	橫山
宋 元嘉二十八年	揚州	丹陽郡	建康 秣陵 丹陽 江寧 湖熟 永世 溧陽 句容
	南兖州	秦郡	秦 尉氏

齊建元二年	揚州	丹陽郡	建康 秣陵 丹陽 湖熟 江寧 溧陽 永世 句容
	南兗州	秦郡	堂邑 尉氏
	青州	齊郡	
永明元年	揚州	丹陽郡	建康 秣陵 丹陽 湖熟 江寧 溧陽 永世 句容
	青州	齊郡	尉氏
梁天監二年	揚州	丹陽郡	建康 秣陵 丹陽 湖熟 江寧 同夏 溧陽 永世 句容

年代	州	郡	縣
	南兗州	秦郡	堂邑　六合
齊天保六年	東廣州	秦州	堂邑　尉氏
陳大建五年	揚州	丹陽郡	建康　秣陵　丹陽　湖熟　江寧　同夏　溧陽　永世　句容
齊武平三年	東廣州	秦州　尾梁郡	堂邑　尉氏
陳大建七年	揚州	丹陽郡	建康　秣陵　丹陽　湖熟　江寧　同夏　溧陽　永世　句容
	譙州	秦郡	堂邑　尉氏　傾山

時代	州	郡	縣
十年	揚州	丹陽郡	建康　秣陵　丹陽　江寧　溧陽　永世　句容
		建興郡　義州	同夏　江乘　臨沂　湖熟　堂邑　尉氏　橫山
周大象元年	吳州	六合郡　方州	堂邑　方山
隋開皇元年		方州	堂邑　尉氏　方山
四年		方州	六合
隋			
開皇九年		蔣州	江寧　溧陽

年		州	縣
		方州	六合
十二年		蔣州	江寧 溧陽 溧水
		宣州	永世
		方州	六合
十八年		蔣州	江寧 溧水
		宣州	永世
		方州	六合
大業元年		蔣州	江寧 溧水
		揚州	延陵 句容

年	道	州郡	縣
		宣州	永世
		方山府	方山
四年		丹陽郡	江寧 溧水
		江都郡	句容 六合
		宣城郡	永世
		方山府	方山
唐武德三年	東南道	揚州	歸化 溧水 丹陽 溧陽 安業
		茅州	句容
		南兗州	六合

年	州	縣
七年	蔣州 茅州 方州	歸化 丹陽 安業 溧水 溧陽 句容 六合
唐 武德八年	揚州 方州	金陵 丹陽 溧水 溧陽 句容 六合
九年	潤州 宣州 方州	白下 句容 溧水 溧陽 六合

年	道	州	縣
貞觀元年	江南道	潤州	白下 句容
		宣州	丹陽 溧水 溧陽
	淮南道	揚州	六合
七年	江南道	潤州	白下 句容
		宣州	溧水 溧陽
	淮南道	揚州	六合
九年	江南道	潤州	江寧 句容
		宣州	溧水 溧陽
	淮南道	揚州	六合

年號	道	州郡	縣
天寶元年	江南東道	丹陽郡	江寧 句容
		宣城郡	溧水 溧陽
	淮南道	廣陵郡	六合
至德二載	江南東道	江寧郡	江寧 句容 溧水 溧陽
	淮南道	廣陵郡	六合
乾元元年	江南東道	昇州	江寧 句容 溧水 溧陽
	淮南道	揚州	六合
上元二年	江南東道	潤州	上元 句容
		宣州	溧水 溧陽

	淮南道	揚州	六合
大順元年	江南道	昇州	上元 溧陽 句容 溧水
	淮南道	揚州	六合
吳武義二年		金陵府	上元 溧陽 句容 溧水
		江都府	六合
天祚二年	西都	昇州	上元 溧陽 句容 溧水
		江都府	六合
昇元二年		江寧府	上元 溧陽 句容 六合 溧水
南唐保大二年		江寧府	上元 溧陽 江寧 溧水 句容 六合

六年		江寧府 雄州	上元 江寧 句容 溧陽 溧水
十一年		江寧府 雄州	上元 江寧 句容 溧陽 溧水 六合
周顯德六年		江寧府 揚州	上元 江寧 句容 溧陽 溧水 六合
宋			
開寶八年		昇州 揚州	上元 江寧 句容 溧陽 溧水 六合

年號	路	府州軍	縣
天禧二年	江南路	江寧府	上元 江寧 句容 溧陽 溧水
	淮南路	建安軍	六合
四年	江南東路	江寧府	上元 江寧 常寧 溧陽 溧水
	淮南路	建安軍	六合
建炎三年	江南路	建康府	上元 江寧 句容 溧陽 溧水
	淮南東路	真州	六合
景炎二年	元	建康路	溧州 上元 江寧 句容 溧水
		揚州路	六合
三年	元	建康路	上元 江寧 句容 溧水

元

溧陽府

揚州路

六合

至元十七年

江東道

建康路

上元 江寧 句容

溧水

溧陽路

溧陽

淮東道

揚州路

六合

二十八年

江東道

建康路

上元 江寧 句容

溧水 溧陽

淮東道

揚州路

真州

六合

元貞元年

江東道

建康路

上元 江寧 句容

溧水州 溧陽州

	淮東道	揚州路 真州	六合
大曆二年	江浙行省	集慶路	溧水州 溧陽州 上元 江寧 句容
	淮東道	揚州路 真州	六合
大明			
甲午			六合
乙未			溧水州 溧陽州 六合
丙申		應天府	溧陽州 溧水州 上元 江寧 句容
		揚州府	六合
洪武元年		應天府	溧陽州 溧水州 上元 江寧 句容

年	直隸	府	縣
	直隸	揚州府	六合
二年	直隸	應天府 揚州府	上元 江寧 句容 溧陽 溧水 六合
九年	直隸	應天府 揚州府	上元 江寧 句容 溧陽 溧水 江浦 六合
二十年		應天府	上元 江寧 句容 溧陽 溧水 江浦 六合
弘治四年		應天府	上元 江寧 句容 溧陽 溧水 江浦 六合 高淳

論曰郡邑沿革紀詳之矣顧事皆散出未有統一兹復表而列之俾稽古者易於考見耳然在昔郡縣阻江爲限至國朝始以江浦六合隸之實寓南北聯屬之意此亦聖謨宏遠之一端云

應天府志卷四終

萬曆應天府志
卷四

應天府志卷五

歷官表上

惟王建國經野設官京兆尹丞保釐是寄庶僚分列政教攸司爰譜古今用裨法戒作歷官表

漢

丹陽太守

光武 建武六年 李忠 東萊黃縣人中水侯改豫章 金陵志有任光蓋誤析忠之事爲光也攷本傳刪之後倣此 見漢書

靈帝 熹平元年 陳寅

臧旻 廣陵射陽人嘗爲揚州刺史遷匈奴中郎將年無考 漢書

年	姓名	事蹟	出處
	周尚	盧江縣人後為袁術所逐	
獻帝初平元年	周昕	孫策尋殺之	
興平元年	吳景	吳郡人劉繇逐之復任加楊威將軍 吳志有袁胤徐琨俱未任太史慈係自稱故不書後倣此	吳志
建安八年	孫翊	吳郡富春人孝廉偏將軍後為郡吏所害	綱目
九年	孫瑜	吳郡富春人屢加綏遠奮威將軍	吳志
	朱翔	年無考	府書
	張馴	濟陰定陶人辟公府徵拜東尚書終大司農年無考	通志
十四年	蔣濟	平阿人歷太尉封都鄉侯謚景	魏志

二十五年 呂範 汝南細陽人奮威將軍宛陵侯遷揚州牧吳進大司馬

高瑞 征東將軍

唐翔 年無考 吳志

赤烏建興元年 諸葛恪 琅琊陽都人吳嘉禾三年撫越將軍遷左將軍歷太傅 吳志

滕胤 北海劇人吳都亭侯改會稽加衛將軍 吳志

建衡元年 李衡 襄陽人吳太元二年左司馬加威遠將軍 吳志

天冊元年 鄔友 豫章人吳建興二年 吳志

吳主天紀四年 沈瑩 死于陣

晉

丹陽太守 一作內史

惠帝永興元年 朱建 為揚州刺史曹武所殺 晉書

王曠 陳敏據江東曠棄官遁

懷帝永嘉元年 王導 琅琊臨沂人加輔國將軍歷太傅丞相司徒謚文獻 晉書

孔冲 會稽山陰人 南史

愍帝建興 薛兼 丹陽郡人安陽鄉侯尋轉尹 晉書

丹陽尹

元帝太興元年 薛兼 遷尚書領太子少傅 晉書

四年 劉隗 彭城人遷鎮北將軍都督假節加散騎常侍 晉書

戴邈 廣陵人加左將軍進尚書僕射贈衛將軍謚穆 晉書

諸葛恢 琅琊陽都人遷侍中尚書令贈儀同三司謚敬 晉書

明帝太寧二年 溫嶠 太原祁縣人秀才加中壘將軍歷散騎常侍侍中謚穆 晉書桓彝封萬寧縣男丹陽尹溫嶠上言詔補彝宣城內史金陵志遂以彝爲尹蓋句讀之訛云

成帝咸和元年 阮孚 陳留尉氏人遷都督交廣寧三州軍事領廣州刺史 晉書有玉嶠未任

羊曼 泰山南城人假前將軍死難贈太常 金陵志載許柳出蘇峻僞命制之

四年 褚裒 河南陽翟人遷中護軍歷尚書左僕射贈衛將軍謚穆

五年　顧衆　吳郡吳縣人遷侍中歷尚書令贈特進光祿大夫謚靖　晉書

高悝　廣陵人光祿大夫封建昌伯　晉書

咸康元年　何充　盧江灊縣人建威將軍歷侍中錄尚書事贈司空謚文穆

五年　殷融

八年　桓景　譙國銍縣人歷中領軍護軍將軍封長社伯　晉書

周謨　汝南安成人遷侍中封西平侯贈金紫光祿大夫謚貞年無考　晉書

穆帝永和三年　劉惔　沛國相縣人侍中

	王胡之	琅琊臨沂人遷中郎將司州刺史	晉書
升平	孔嚴		晉書
	庚龢	潁川鄢陵人遷中領軍	晉書
	王劭	琅琊臨沂人遷吏部尚書左僕射謚簡年無考	晉書
帝奕太和	韓伯	潁川長社人遷吏部尚書贈太常	晉書
武帝寧康元年	王坦之	太原晉陽人中書令遷都督徐兗等州軍事贈安北將軍謚獻	
太元四年	王藴	太原晉陽人加散騎常侍遷鎮軍將軍贈開府儀同三司	
五年	沈嘉		

八年　王恭　太原晉陽人遷中書令　晉書

王珉　琅琊臨沂人襲始興公贈太常年無考

十一年　王雅　東海剡人秀才領太子少傅歷左僕射贈儀同三司

哀帝隆安元年　王國寶　太原晉陽人後將軍進左僕射

二年　車胤　南平人輔國將軍遷吏部尚書　晉書

胤本傳與江績相屬金陵志誤以胤爲績猶載桓彝事也今正之

王愷　晉陽人復遷吳郡內史贈太常

五年　司馬恢之　宗室驃騎司馬死難贈撫軍將軍

元興 袁豹 陳郡陽夏人以太尉諮議參軍 晉書

三年 孟昶 遷監中軍留府事 綱目

義熙七年 郗僧施 高平金鄉人襲南昌公遷南蠻校尉假節

八年 劉穆之 東莞莒人太尉司馬遷左僕射前軍將軍封西華縣子

十二年 徐羨之 東海郯縣人吏部尚書遷尚書僕射降宋爲司空 綱目

宋武永初元年 檀道濟 高平金鄉人封永修縣公右軍遷南兗州刺史 宋書

二年 鄭鮮之 滎陽開封人遷都官尚書歷右僕射 宋書

三年 謝方明 陳郡陽夏人以會稽太守

徐珮之 東海郯人以吳郡太守 宋書

元嘉文帝

江夷　濟陽考城人吏部尚書加散騎常侍進右僕射贈前將軍　宋書

六年　王裕　琅琊臨沂人尚書令歷侍中謚文貞　宋書

王準之　琅琊臨沂人贈太常　金陵志在十四年從宋書

八年　劉義慶　宗室臨川王中書令加輔國將軍歷開府儀同三司

十二年　蕭摹之　南蘭陵人　綱目

十三年　何尚之　廬江灊縣人遷祠部尚書歷中書令

十五年　王瑩　開府儀同三司

十七年　劉湛　南陽涅陽人金紫光祿大夫散騎常侍以罪誅　宋書

十八年	孟觊	昌安人進尚書僕射	宋書
	羊玄保	泰山南城人遷會稽太守歷散騎常侍	宋書
二十一年	徐湛之	東海剡縣人冠軍將軍加散騎常侍	
二十五年	趙伯符	下邳僮縣人護軍將軍	
二十七年	徐湛之	再任領太子詹事遷尚書僕射贈司空謚忠烈	
三十年	褚湛之	河南陽翟人左衛將軍	宋書
	王僧達	琅琊臨沂人歷中書令	宋書
		金陵志有臧質宋書有尹弘俱劭所用不書	
孝武孝建元年	褚湛之	輔國將軍再任領石頭戍事遷右僕射	宋書

年	姓名	事蹟	出處
	蕭思話	南蘭陵人中書令遷使持節五州諸軍事安北將軍贈開府儀同三司謚穆	
	褚湛之	中書令三任	宋書
	劉延孫	彭城莒縣人遷吳興太守歷侍中左僕射贈司徒謚文穆	宋書
	顏峻	琅琊臨沂人加散騎常侍中書令	宋書
三年	劉遵考	宗室營浦侯加散騎常侍遷右僕射歷侍中	
	顏峻	右將軍再任遷東揚州刺史	
大明元年	劉子仁	宗室永嘉王遷衛尉加征虜將軍	宋書

年	姓名	事蹟	出處
二年	褚湛之	四任進左僕射贈侍中謚敬	宋書
四年	孔靈符	會稽山陰人改會稽太守	宋書
	劉秀之	東莞莒縣人遷右僕射歷使持節都督州郡諸軍事安北將軍雍州刺史贈侍中謚忠誠	宋書
五年	王僧朗	琅琊臨沂人遷左僕射歷侍中贈開府謚元	
八年	柳元景	河東解縣人侍中尚書令開府儀同三司	
上子業 景和元年	顏師伯	琅琊臨沂人進左僕射加散騎常侍	
	劉子真	宗室始安王遷南兗州刺史	宋書
明帝彧 泰始二年	王彧	琅琊臨沂人右僕射遷中書令歷太子太傅贈開府儀同	

三司謚毅　宋書

五年

袁粲　陳郡陽夏人中書令遷尚書令歷司徒侍中死義

劉景素　宗室建平王遷吳興太守歷征北將軍開府儀同三司死義　宋書

劉秉　宗室左衛將軍遷太子詹事　宋書

褚淵　河南陽翟人散騎常侍出爲吳興太守尋除中書令降齊爲司徒　南史

元徽二年

劉秉　散騎常侍再任累遷尚書令中領軍死義

昇明元年

王奐　琅琊臨沂人冠軍將軍出爲吳興太守降齊歷雍州

		刺史
二年	沈文季	吳興武康人征虜將軍降齊爲侍中　南史
齊高帝建元元年	王僧虔	琅琊臨沂人侍中撫軍進左光祿大夫遷征南將軍　綱目　特進贈司空謚簡穆
	孔山士	南齊書
	蕭子良	宗室聞喜公征虜將軍遷南徐州刺史進封竟陵王歷太傅司徒謚威
	王敬則	晉陵南沙人尋陽郡公遷鎮軍將軍歷大司馬　南齊書
武帝永明元年	蕭晃	宗室長沙王鎮軍將軍散騎常侍驃騎將軍侍中贈開

府儀同三司謚威　南齊書

呂僧珍　東平山陽人進前鋒大將軍降梁封平固侯　南齊書

李安民　蘭陵承縣人撫軍將軍進左僕射贈鎮東將軍謚肅

二年　王儉　琅琊臨沂人衛軍將軍領國子祭酒太子少傅歷尚書令贈太尉侍中謚文獻

三年　蕭景先　宗室新吳侯征虜將軍詔假節司州諸軍贈侍中征北將軍謚忠

六年　王晏　琅琊臨沂人散騎常侍遷江州刺史留爲吏部尚書

歷侍中尚書令進驃騎大將軍

七年　蕭鏘　宗室鄱陽王征虜將軍加散騎常侍遷江州刺史歷司徒將軍

蕭子真　宗室建安王轉左衛將軍出為郢州刺史歷鎮軍將軍　南齊書

八年　蕭順之　南蘭陵人領軍將軍贈鎮北將軍謚懿　綱目

十年　蕭子敬　宗室安陸王散騎常侍進車騎將軍南兗州刺史　南齊書

蕭鏗　宗室武陵王散騎常侍前將軍遷侍中歷開府儀同三

司增司空謚昭　南齊書

建武　**王亮**　琅邪臨沂人進尚書左僕射降梁歷左光祿大夫　梁書

隆昌　**徐孝嗣**　東海郯縣人散騎常侍前將軍封枝江公遷左僕射累加侍中司空尚書令

主寶卷永元元年　**蕭坦之**　南蘭陵人右將軍尚書左僕射進封臨汝公贈中將軍

蕭寶攸　宗室邵陵王征虜將軍遷江州刺史進秘書監　南齊書

二年　**蕭寶嵩**　宗室晋熙王冠軍將軍遷徐州刺史進中書令　南齊書

和帝中興元年　**蕭穎達**　蘭陵人前將軍降梁封作唐侯　南史

梁武天元 帝監年	王志	琅琊臨沂人冠軍將軍歷中書令金紫光祿大夫諡安　梁書	
二年	王份	琅琊臨沂人侍中左光祿大夫	
	沈約	吳興武康人建昌侯領軍將軍遷侍中歷少傅諡隱	
五年	蕭偉	宗室建安王撫軍將軍　梁書	
八年	王瑩	琅琊臨沂人建城縣公散騎常侍中軍將軍歷尚書令開府儀同三司	
	王茂	太原祁縣人望蔡公侍中開府儀同三司進太尉	
十二年	蕭綱	宗室晉安王宣惠將軍改荊州刺史遷輕車將軍	

年	姓名	事蹟	出處
十三年	韋叡	京兆杜陵人知武將軍遷中護軍贈侍中謚嚴	梁書
十五年	蕭深業	宗室長沙王改湘州刺史	梁書
	蕭綜	宗室安前將軍遷南徐州刺史尋叛降魏	梁書
	蕭象	宗室桂陽王寧遠將軍	
	蕭恭	宗室衡山侯中書監遷衡州刺史歷持節仁威將軍贈侍中謚僖	梁書
普通元年	蕭綱	丙任加侍中出爲平西將軍使持節都督七州諸軍事	梁書

年	姓名	事蹟	出處
二年	蕭機	宗室安成王明威将軍遷湘州刺史	梁書
	袁昂	陳郡陽夏人歷侍中司空謚穆正	梁書
七年	蕭繹	宗室湘東王遷荆州刺史	梁書
中大通元年	蕭綸	宗室邵陵王遷侍中揚州刺史	梁書
	蕭紀	宗室武陵王歷輕軍将軍改會稽太守後稱帝於蜀	梁書
三年	蕭綸	再任出爲南徐州刺史歷司空 蕭淵藻梁書未拜尹删之	綱目
	蕭正德	宗室西豐侯後引景入寇僭號	金陵志在元年

臧盾梁書爲丹陽丞山東通志作尹誤

大同三年 何敬容 廬江灊人中權將軍改尚書令

蕭會理 宗室南康王宣惠將軍出爲使持節都督七州諸軍事死難 梁書

王珍國 琅琊臨沂人宜陽侯散騎常侍贈車騎將軍謚威 梁書

王銓 琅琊臨沂人侍中年無考 南史

南史張纘九年遷尹不拜不錄

大同十三年 孔休源 會稽山陰人出爲晉安王長史歷金紫光祿大夫贈散騎

常侍謚貞 梁書

王固 琅琊臨沂人舉秀才累加貞威將軍降陳歷金紫光祿大夫

簡文帝大寶元年 蕭大鈞 宗室西陽王宣惠將軍改監揚州

蕭大圜 宗室樂梁王宣惠將軍奔魏 南史

二年 蕭大威 宗室武寧王信威將軍

徐陵 東海郯縣人交右將軍年無考

元帝承聖元年 王冲 琅琊臨沂人中權將軍開府儀同三司遷左光祿大夫 陳書

袁泌　陳郡陽夏人降陳　歷雲旗將軍　陳書

敬帝紹泰元年　杜稜　吳郡錢塘人通直散騎常侍右衛將軍　陳書

王冲　南徐州人　中正再任

太平元年　胡頵　吳興東遷人　仁威將軍　陳書

陳武帝永定元年　侯安都　始興曲江人封曲江公出爲都督南豫章諸軍事　陳書

程靈洗　新安海寧人出爲高唐太守歷安西將軍封重安侯謚忠壯　陳書

侯安都　再任進封桂陽郡公歷征南大將軍　陳書

陳擬　宗室散騎常侍　驃騎將軍

主　光元
伯宗大年　**吳明徹**　秦郡人領軍將軍遷南兗州刺史　陳書

陳方泰　宗室南康王仁威將軍使持節都督歷侍中入隋爲掖令　陳書

文天二
帝嘉年　**杜稜**　領軍將軍再任加特進侍中贈開府儀同三司謚成

王冲　特進左光祿大夫三任贈侍中司空謚元簡　陳書

三年　**袁樞**　陳郡陽夏人吏部尚書加散騎常侍進左僕射贈侍中謚簡懿

到仲舉　彭城武原人尚書左僕射封建昌侯　陳書

宣帝大建元年

陳伯信 宗室衡陽王宣毅將軍改中護軍歷西衡州刺史 陳書

陳伯謀 宗室桂陽王信威將軍加侍中歷散騎常侍 陳書

十一年

陳叔堅 宗室長沙王翊右將軍出爲江州刺史進司空

十二年

毛喜 滎陽陽武人散騎常侍遷吏部尚書加侍中 陳書

沈君理 吳興人明威將軍加左民尚書歷侍中尚書右僕射謚貞憲 陳書

禎明元年 陳叔達 宗室義陽王仁威將軍入隋爲通守

至德元年 陳叔文 宗室晉熙王宣惠將軍遷揚州刺史 陳書

四年 陳叔韶 宗室岳山王智武將軍

陳叔慎 宗室岳陽王智武將軍出爲湘州刺史死義

隋

蔣州刺史

文帝開皇九年 韓洪 河東東垣人柱國改廬州歷金紫光祿大夫 隋書

郭衍 太原介休人改洪州總管歷光祿大夫

唐

蔣州刺史

高祖武德 盧祖尚 光州樂安人弋陽郡公遷壽州都督終瀛州刺史

昇州刺史

肅宗乾元元年 韋黃裳 遷浙西道節度使

二年 顏真卿 兗州曲阜人進士浙西節度使召爲刑部侍郎

侯令儀 浙西節度使尋遁 劉展遂陷州

金陵志載姜昌群係劉展僞授不書

昭宗大順元年 張雄 泗州漣水人 唐書

景福二年 馮弘鐸 泗州漣水人尋附楊行密表爲淮南節度副使 唐書

天復二年 李神福 洺州人改淮南行軍司馬

三年 秦裴 改洪州制置使

吳稱天祐十四年 徐温 海州朐山人

徐知誥 徐州人温養子遷潤州後改尹

金陵府尹

吳廢帝順義元楊溥義五 徐温

乾貞元年 徐知詢 温之子 五代史

徐知諤 温之子 五代史

大和三年 徐知誥

江寧府尹

唐烈祖昇元徐誥元年　**李景遂**　燕王加諸道兵馬元帥

宋

昇州知州事

太祖開■八年　**楊克讓**　同州馮翊人燕水陸計度轉■加兵部員外郎改知大名府　讓金陵志作遜

太宗太平興國二年　**賈黃中**　滄州南皮人進士禮部員外郎復任改駕部歷參知政事贈禮部尚書

五年　**劉保勳**　河南人判大理事有能檢三司開拆司死於任贈工部侍郎

韓遂　樞密部承旨

雍熙元年 許驤 薊州人進士比部員外郎改江南轉運副使歷工部侍郎贈尚書

二年 源護 水部郎中改福州

端拱元年 雷有終 同州郃陽人以戶部度支副使遷少府少監歷宣徽北院使檢校太保贈侍中

淳化元年 盧之正 侍御史改越州

二年 陳欽祚 潁州汝陰人榷易使榷都監

五年 高象先 虞部郎中

郭異 兵部員外郎改越州

至道元年 李偉 西京作坊使改洪州

三年 宋覃 西京左藏庫使

真宗咸平元年 張繼美 西京左藏庫使

二年 呂祐之 濟州鉅野人進士給事中歷集賢院學士刑部侍郎

四年 劉知信 邢州人外戚遷東京都巡檢使贈太尉天平軍節度

景德元年 馬亮 廬州合肥人進士直史館加工部郎中

四年 張詠 濮州鄄城人進士吏部侍郎始兼江南東路安撫使贈左僕射謚忠定

宋史曹克明傳
詠知江寧非也

大中祥符五年 薛映 蜀人進士樞密直學士改揚州歷尚書左丞判集賢院贈右僕射謚文恭

八年 馬亮 工部侍郎再任改揚州

九年 丁謂 蘇州長洲人進士平江軍節度使改保信軍歷吏部尚書參知政事

江寧府知府事

天禧二年 薛顏 河中萬泉人進士以府監遷右諫議大夫知河南終光祿卿

年	姓名	事蹟
五年	馬亮	兵部侍郎三任改盧州
仁宗天聖元年	王欽若	臨江新喻人進士刑部尚書拜司空門下侍郎同平章事
	王隨	河南人進士光祿卿改給事中歷同平章事贈中書令謚文惠
三年	李迪	趙郡人進士秘書監改兗州歷同平章事資政大學士贈司空侍中謚文定
五年	馬亮	工部尚書四任以太子少保致仕贈右僕射謚忠肅
七年	張士遜	光化人刑部尚書定國軍節度使歷門下侍郎太傅贈太師中書令

年	姓名	事蹟
八年	滕涉	給事中
明道元年	李允元	光祿卿差充淮南江浙荆湖都大制置發運使
	李若谷	徐州豐縣人進士集賢院學士進龍圖閣直學士知河南歷參知政事贈太子太傅謚康靖
景祐元年	陳執中	洪州人父恪天章閣侍制改揚州歷同平章事司徒贈太師謚恭
三年	張若谷	南劍沙縣人進士樞密直學士入知審官院歷尚書左丞
寶元元年	盛京	右諫議大夫

康定元年　郎簡　杭州臨安人進士判刑部改揚州歷右諫議大夫終刑部侍郎贈吏部

慶曆元年　葉清臣　蘇州長洲人進士龍圖學士入爲翰林院學士贈左諫議大夫

三年　劉沆　吉州永新人進士右諫議大夫改潭州歷同平章事集賢殿大學士

楊告　漢州綿竹人同學究出身右諫議大夫改知壽州

五年　李宥　青州人進士諫議大夫仁遂秘書監致仕改太子賓客

八年　張奎　臨濮人進士右諫議大夫入判吏部歷樞密直學士

皇祐元年	張方平	南京人茂才異等端明殿學士入判流内銓歷參知政事太子太保贈司空謚文定
三年	皇甫泌	右諫議大夫始帶提轄本路兵馬
四年	劉湜	徐州彭城人進士權天章閣待制除戶部郎中遷龍圖閣直學士
至和元年	向傳式	開封人龍圖閣直學士工部侍郎
嘉祐元年	包拯	廬州合肥人進士刑部郎中召知開封府歷樞密副使贈禮部尚書謚孝肅
二年	王琪	成都華陽人進士工部郎中龍圖閣待制累加樞密直

學士

三年 梅摯 成都新繁人進士右諫議大夫改知河中

五年 王琪 工部郎中知制誥再任

馮京 鄂州江夏人龍圖閣待制召爲翰林侍讀學士歷參知政事贈司徒謚文簡

七年 魏琰 歙州婺源人以蔭司農卿召判刑部進衛尉卿

郭申錫 魏縣人進士直史館進天章閣待制歷給事中

王贄 左諫議大夫

英宗治平元年 彭思永 廬陵人進天章閣待制召爲御史中丞終戶部侍郎

三年　呂溱　揚州人進士右諫議大夫歷樞密直學士贈禮部侍郎

龔鼎臣　鄆州須城人進士集賢殿修撰召判太常兼禮儀事歷正議大夫

四年　王安石　撫州臨川人進士知制誥召爲翰林學士歷同平章事

孫思恭　鄧州人進士天章閣侍制改鄧州

神宗熙寧元年　吳中復　興國永興人進士龍圖閣直學士歷知成德軍

二年　錢公輔　常州武進人進士兵部員外郎改揚州

四年　沈起　明州鄞縣人進士兵部員外郎入知吏部流內銓

五年　傅堯俞　鄆州須城人進士兵部員外郎改許州歷中書侍郎諡獻簡

六年　沈立　歷陽人進士右諫議大夫改宣州

七年　王安石　觀文殿大學士再任轉吏部尚書

八年　葉灼　祠部郎中直史館

九年　王安石　鎮南軍節度使同平章事三任改集禧觀使復拜左僕射觀文殿大學士加司空

十年　元積中　司封郎中改洪州

呂嘉問　河南人以蔭司封員外郎改潤州歷龍圖閣學士

元元豐年	孫昌齡	都官員外郎
	元積中	太常少卿再任
三年	孫坦	刑部郎中天章閣待制
	劉庠	彭城人進士龍圖閣直學士改知徐州歷樞密直學士
五年	陳繹	開封人進士龍圖閣待制貶建昌軍奪職復大中大夫
六年	王益柔	河南人父蔭龍圖直學士秘書監改應天
七年	王安禮	撫州臨川人進士端明殿學士加資政殿學士贈右

銀青光祿大夫

楚建中 洛陽人進士天章閣待制改成德軍進正議大夫 宋書

哲宗元祐元年 蔡卞 興化仙遊人進士龍圖閣待制改揚州歷少保開府儀同三司追貶團練副使

四年 林希 福州人進士集賢殿修撰歷吏部尚書同知樞密院

熊本 饒州鄱陽人進士龍圖閣待制改洪州

六年 謝麟 建州甌寧人進士直龍圖閣改鳳翔

黃履 邵武人天章閣待制改應天歷資政殿學士尚

書右丞

七年 陸佃 越州山陰人進士龍圖閣待制歷尚書左丞

八年 曾肇 南豐人進士吏部侍郎改瀛州歷翰林學士謚文昭

曾布 南豐人戶部尚書留為學士承旨歷右僕射謫門下侍郎 續綱目

紹聖二年 何正臣 臨江新淦人進士歷刑部侍郎

三年 呂惠卿 泉州晉江人進士歷觀文殿學士以醴泉觀使致仕

四年 陳軒 建州建陽人進士龍圖閣待制改潁昌歷兵部侍郎龍圖直學士

元符二年 吕升卿 直秘閣

三年 葉濤 處州龍泉人進士中書舍人歷給事中龍圖閣待制

陶節夫 饒州鄱陽人進士龍圖閣學士改知青州歷樞密直學士 宋史

徽宗建中靖國元年 鄧祐甫 直秘閣

崇寧元年 陳祐甫 直秘閣

二年　朱彥　宣德郎

王藻　衢州常山人進士顯謨閣直學士

四年　徐勣　宣州南陵人進士徽猷閣待制歷顯謨閣學士贈資政殿學士

五年　蔣靜　常州宜興人進士顯謨閣待制改壽州歷直學士贈通議大夫

姚祐　浙江長興人進士顯謨閣待制復爲殿中監進直學士歷禮部尚書贈特進謚文僖

范坦　河南人進士集賢殿修撰改洪州歷戶部侍郎

太元豐年　曾孝蘊　泉州晉江人集賢修撰歷龍圖閣學士贈通議大夫

二年　盧航　龍圖閣待制

三年　沈錫　真州揚子人由胄廕徽猷閣待制改知海州歷通議大夫贈宣奉大夫

曾孝序　泉州晉江人父廕集賢修撰歷延康殿學士

政和二年　薛昂　杭州人進士尚書左丞改河南歷資政殿大學士

三年　吳栻　直龍圖閣

四年 盧航 龍圖待制再任

六年 蔡嶷 開封人進士龍圖閣直學士召為翰林院學士承旨後安置房州

八年 俞㮚 溧水人進士述古殿直學士

張莊 應天府人進士進徽猷閣直學士贈宣奉大夫 宋史

宣和元年 王漢之 再任加龍圖閣直學士進延康殿

五年 盧襄 徽猷閣待制改湖州

靖康元年 曾孝序 龍圖閣直學士再任改青州累進徽猷閣學士

死節贈光祿大夫謚威愍

宇文粹中 資政殿學士

二年 李彌遜 蘇州吳縣人進士江東運判領改淮南運副歷徽猷閣直學士

翁彥國 寶文閣直學士撫江東安撫使馬步軍都總管充經制使

趙明誠 秘閣修撰仍兼江南東路經制使改湖州

建炎二年 黃潛善 邵武人進士觀文殿大學士尋黜居衢州 宋史

建康府知府事

三年

吕頤浩　齊州人同簽樞密院事安撫制置使拜尚書右僕射同平章事

連南夫　德安人顯謨閣直學士歷廣東轉運使

湯東野　應副六宮事工部侍郎改提舉

胡舜陟　徽州績溪人進士徽猷待制充沿江都制置使終廣西經略使

杜充　相州人進士尚書左僕射江淮宣撫使叛降金

陳邦光　顯謨直學士叛降金

四年

趙嶸　徽猷閣待制兼兵馬鈐轄安撫使都總管改

提舉洞霄宮

權邦彥 河間人登上舍第寶文閣直學士改江淮等路制置發運使召爲兵部尚書參知政事 宋史

紹興元年 張縝 直寶文閣改饒州

葉夢得 蘇州吳縣人進士資政殿學士江東安撫大使兼六州宣撫改臨安

二年 李光 端明殿學士安撫大使六州宣撫改湖州歷參知政事 謚莊簡

趙鼎 解州聞喜人進士端明殿學士改洪州歷同平章

事兼樞密使贈太傅謚忠簡

三年　歐陽懋　徽猷閣待制

沈晦　錢塘人進士歷徽猷閣直學士

呂祉　建州建陽人上舍釋褐直龍圖閣主管江東安撫司事召爲中書門下檢正文字歷兵部尚書

五年　葉宗諤　直秘閣兼主管安撫司進福建轉運使

七年　張澄　直龍圖閣兼主管安撫司改臨安

呂頤浩　少傅江東安撫制置大使行宮留守再任贈太師謚忠穆　宋史

八年　章誼　建州浦城人進士端明學士安撫大使兼留守

葉夢得　安撫制置大使兼留守再任加觀文殿學士改福州贈檢校少保

十三年　孟忠厚　洛州人外戚樞密使兼安撫制置大使改判紹興歷保寧節度使贈太保

十四年　張守　常州晉陵人進士資政殿學士兼安撫制置大使謚文靖

十五年　晁謙之　敷文閣直學士兼安撫使

十八年　鄭滋　顯謨閣學士

十九年	俞俟	敷文閣直學士改紹興
	王晌	直秘閣主管安撫司改宣州
二十二年	楊愿	進士資政殿學士
二十三年	王循友	右朝散郎兼主管安撫司
二十四年	宋貺	敷文閣直學士改平江
二十六年	張燾	饒州德興人進士寶文閣學士兼留守
	王綸	郡人進士資政殿大學士兼留守贈左光祿大夫謚章敏
三十一年	張燾	資政殿學士再任遷同知樞密院參知政事謚忠定

	張浚	漢州綿竹人進士觀文殿大學士兼留守尋節制軍馬除少傅江淮宣撫歷同平章事兼樞密使贈太師謚忠獻
三十二年	陳俊卿	興化人進士江淮宣撫判官除禮部侍郎參贊軍事
孝宗隆興元年	陳之茂	直徽猷閣兼管安撫司
二年	張孝祥	歷陽烏江人進士直學士七院改敷文閣待制歷顯謨直學士
	呂擢	直徽猷閣兼安撫
乾道元年	汪澈	新安人進士除樞密使贈金紫光祿大夫謚忠敏

	王佐	直寶文閣改平江
	陳俊卿	再任授吏部尚書歷左僕射同平章事兼樞密使
二年	陳之茂	徽猷閣直學士再任
	李植	泗州臨淮人鄉舉直寶文閣轉運使兼安撫留守以寶文閣學士致仕謚忠襄　宋史
	方滋	敷文閣待制
二年	史正志	集賢殿修撰兼沿江水帥制置使敷文閣待制改成都
六年	唐瑑	秘閣修撰改太府卿准東總領

年	姓名	事蹟
七年	洪遵	番陽人進士端明殿學士安撫使兼留守進資政學士謚文安
八年	梁克家	泉州晉江人進士觀文殿大學士歷右丞相贈少師謚文靖　宋史
淳熙元年	葉衡	婺州金華人進士敷文閣學士兼管內勸農營田使進尚書歷右丞相兼樞密使
	胡元質	龍圖閣待制
二年	劉珙	建州崇安人進士資政殿大學士安撫留守進觀文學士贈光祿大夫謚忠肅

年	姓名	事蹟
五年	陳俊卿	再任兼安撫除少保進少師致仕贈太保謚正獻
八年	范成大	吳郡吳縣人進士端明殿學士進資政殿尋擢大學士贈少師謚文穆
十年	錢良臣	端明殿學士進資政殿
	章森	敷文閣待制安撫使進顯謨閣改江陵
光宗紹熙二年	余端禮	衢州龍游人進士煥章閣學士召拜吏部尚書歷右丞相少保贈太傅謚忠肅
四年	鄭僑	顯謨閣待制進龍圖閣學士
	張杓	漢州綿竹人以父蔭徽猷閣待制改襄陽　宋史

五年 留正 泉州永春人進士少師觀文殿大學士落職後復少師大學士贈太師謚忠宣 宋史

葛邲 丹陽人進士觀文殿大學士改隆興歷少保贈少師謚文定 宋史

謝深甫 台州臨海人進士煥章閣待制改御史中丞兼侍讀歷右丞相少傅謚忠定 宋史

寧宗慶元元年 張杓 寶文閣學士再任進龍圖閣知隆興

三年 趙彥逾 宗室進士資政殿學士改四川安撫制置兼知成都

張杓 端明殿學士三任 宋史

年	姓名	事蹟
四年	錢象祖	臨安人華文閣學士改徽猷閣歷左丞相兼樞密使
六年	吳琚	開封人外戚少師兼留守鎮安軍節度使開府儀同三司
嘉泰二年	李林	徽猷閣學士安撫使改寶文閣
四年	丘崈	江陰軍人進士敷文閣學士兩淮宣撫改簽書樞密院事
開禧二年	葉適	温州永嘉人進士寶謨閣待制兼沿江制置使進寶文閣兼江淮歷寶文學士贈光祿大夫謚

忠定

楊輔 遂寧人進士龍圖閣學士兼江淮制置使謚莊惠

三年 徐誼 溫州人進士寶謨閣待制兼制置使改知隆興謚忠文

丘崈 資政殿學士再任改江淮制置大使遷同知樞密院事謚忠定

嘉定元年 何澹 處州龍泉人進士觀文殿學士江淮制置大使移湖北兼知江陵贈少師

三年 黃度 紹興新昌人進士龍圖閣待制兼制置使遷寶謨

直學士進禮部尚書兼侍讀

六年　劉榘　寶文閣待制進權工部尚書

八年　李大東　端州四會人右文殿修撰管安撫司

十年　李珏　寶謨閣學士制置安撫使進封開國伯

十二年　李大東　顯謨閣待制安撫使再任改寶文閣制置使封開國伯累加顯謨直學士

十五年　俞嶸　龍游人煥章閣待制制置安撫使歷工部尚書

蔡幼學　溫州瑞安人進士龍圖待制改福州進權兵部尚書兼太子詹事

宋史

理宗寶慶元年　丘壽邁　直煥章閣江東轉運副使改司農少卿

三年　趙善湘　宗室寶章閣待制制置使累進兵部尚書歷觀文殿學士贈少師

紹定六年　李壽朋　試大理卿安撫兼制置使

吳潛　溧水人進士太府卿兼權制置安撫留守除秘撰都承歷右丞相贈少師　宋史

端平元年　陳韡　福建侯官人進士歷煥章學士安撫兼留守加制置大使知樞密院贈少師謚忠肅

曾從龍　泉州晉江人進士資政殿大學士制置兼留守歷

知樞密院贈少師　宋史

嘉熙二年	別之傑	郢州人進士寶謨直學士制置使安撫使加兵部尚書歷參知政事贈少師
淳祐四年	杜杲	邵武人父穎華文閣學士制置使留守進敷文閣學士遷刑部尚書贈開府
	董槐	濠州定遠人進士集英殿修撰制置安撫留守改知靜江歷右丞相兼樞密使贈太子少師謚文靖
五年	趙以夫	宗室寶章閣待制制置安撫兼屯田使

年	姓名	事蹟
七年	趙葵	長沙人樞密使兼參知政事留守安撫使進右丞相兼樞密使
九年	吳淵	溧水人進士端明殿大學士制置安撫使累封金陵公陞資政殿大學士 宋史
寶祐二年	王埜	金華人進士制置安撫二郡屯田行宫留守歷簽書樞密院事
	丘岳	寶文閣直學士節制二郡屯田使
三年	馬光祖	婺州金華人進士寶章閣直學士制置安撫兼留守節制屯田累加端明殿學士改知江陵

六年	趙與𥲤	宗室進士觀文殿學士制置安撫馬步軍總管兼留守節制屯田改兼知揚州
開慶元年	馬光祖	資政殿學士制置大使再任進大學士知臨安
	姚希得	潼川人進士華文閣直學士制置安撫留守累加刑部尚書歷參知政事贈少保
	趙葵	沿江江東宣撫使再任兼留守尋授江東西宣撫歷少師贈太傅謚忠靖　宋史
五年	馬光祖	三任拜參知政事進知樞密院以金紫光禄大夫致仕謚莊敏

度宗咸淳五年 吳革 寶文閣直學士制置安撫留守

七年 黃萬石 沿江制置使陳江西叛降元

九年 趙溍 長沙人制置使兼留守尋遁

建康路總管兼府尹

端宗景炎二年 徐旺榮 元至元十四年驃騎上將軍

元

世祖[illegible] 李 [illegible]十[illegible]元 中順大夫

二十年 李仲信

二十一年 阿忽闌不花 嘉議大夫

二十九年 札剌兒百家奴 父陰中奉大夫遷鎮江路 元史

三十年 宋廷秀

成宗

元貞元年 廉希哲 中議大夫

大德四年 獨吉禮 少中大夫

七年 陳元凱 蜀人

九年 侯珪

十年 岳天禎 大名冠氏人父應懷遠大將軍 元史附天禎於其父存傳一統志遂謂存爲建康誤矣

仁宗 皇慶元年 王瑛 正議大夫

劉智

延祐六年 昝子良

英宗 至治二年 任若敬

泰定帝 泰定二年 必實溫沙班 大中大夫

三年 那懷 中順大夫

集慶路總管

文宗 天曆二年 唆任 奉議大夫

至元元年 郭朶兒伯臺

順帝至元四年 完者禿 通議大夫

至正元年 張塔海帖木兒 中議大夫

應天府志卷五終

應天府志卷六

歷官表中

大明 應天府知府

高皇帝國初 王子謙 出宋學士集題名無

楊元杲 直隷滁州薦舉 題名在七年爲尹從滁志

洪武三年 蘭以權 湖廣襄陽薦舉

應天府府尹 府丞

蘭以權 知府改

四年 鄭沂言

年	姓名	註	姓名	註
五年	張遇林	出嘉不須	高舉	直隷鳳陽
八年	尚寶			
九年	劉仁	湖廣武昌初爲兵部尚書尋改左通政		
十年	李拳	山西徐溝	梁伯興	江西永豐
十二年	徐鐸	陞戶部尚書 出聖政記		
	曹廷訓	河南靈寶薦舉		
十三年	班用吉	河間天津薦舉歷刑部尚書		
	曾朝佐			
十八年	高守禮	河南洛陽	馮昭克	

年	府尹	府丞
	孫鳳 年無考 出大誥	
二十年	尹寶	康惟善 山西河津
	李德 山西徐溝孝廉	
二十三年	林衡 福建莆田	
二十四年		王公堯 治中陞
二十五年	宋翊 陝西膚施	
革除元年	向璉 江西進賢進士通政使改 出聖政記	
四年	張遇林	
文皇帝 永樂元年		張執中 山西靈石貢贈府尹

年	姓名		姓名
二年	向璡	再任歷副都御史兼僉事 題名在三年 從聖政記	
	姚恕	江西廬陵貢	
五年	夏思忠	直隸高郵儒士	
八年	汪翔	直隸徽州	張元 山西靈石
十年	紀正		
十一年	于潛	河南鄢陵	
十五年	陳福	直隸宿州貢	
十六年	李秀	湖廣	
十八年	顧佐	河南太康進士歷左都御史贈少保	

十五年 向琟

昭皇帝洪熙元年 紀正 再任

章皇帝宣德元年 薛均 湖廣蘄水薦舉 題名在永樂二十年從太常志

四年 黄茂 湖廣桂東貢

張璘 湖廣黄岡進士

七年 史怡

十年 鄺埜 湖廣宜章進士歷兵部尚書贈少保

睿皇帝正統元年

三年 陳俊 府丞陞

左洋 直隸涇縣貢

王鐸 舊在四年從太常志

趙公器 直隸上海

陳俊 浙江東陽進士

五年　檀凱 直隸建德進士

六年　李敏 直隸新安舉人 歷戶部尚書

七年　蔡錫 浙江鄞縣舉人

景皇帝景泰元年　馬諒 直隸和州進士 歷戶部侍郎　陳宜 江西泰和進士 歷兵部左侍郎

三年　王弼 江西鄱陽進士　劉洙 江西貴溪進士

七年　郭士道 江西萬安

純皇帝成化元年　冉哲 四川內江進士

四年　畢亨 河南河南衛進士 歷副都御史

九年　彭信 浙江仁和進士　白昂 直隸武進進士 歷刑部尚書贈太保

年	上	下
十年	魯崇志 浙江天台進士陞副都御史	
十三年		談倫 直隸上海進士
十九年		張達 江西泰和進士
		楊守隨 浙江鄞縣進士
二十二年	丁冕 浙江錢塘文肅愍謚蔭錦衣乞改文職	
敬皇帝弘治元年	楊守隨 府丞陞歷工部尚書	
二年		冀綺 直隸寶應進士
三年	秦崇 山東單縣進士	
五年	樊瑩 浙江常山進士歷南刑部尚書贈太子少保	

年		
八年	龔綺 府丞陞	高敞 直隸崑山進士
十年	高敞 府丞陞	
十二年	韓重 山西絳縣進士	呂獻 浙江新昌進士歷兵部侍郎
十四年	吳雄 浙江仁和進士	
十五年		李堂 浙江鄞縣進士
毅皇帝正德元年	陸珩 浙江歸安進士	
二年	沈銳 浙江仁和進士	
三年	黃寶 湖廣長沙進士陞副都御史	
四年	常麟 浙江嘉興進士陞南禮部侍郎	王彥奇 四川雲陽進士僉都御史改

	周宏浙江德清	楊旦福建建安進士歷吏部尚書
五年	丁鳳直隸蠡縣進士歷兵部侍郎	陳玉山東沂州進士歷都御史
六年	孫春河南尉氏進士	尹梅直隸靈壽進士
七年	張淳直隸合肥進士陞副都御史	
八年	歐陽旦江西安福進士	
九年	白圻直隸武進進士陞副都御史	趙斌陝西平凉衛進士
十年	黄瓚直隸儀真進士歷南兵部侍郎	
十一年	王宸神武右衛進士	
十二年	龔弘直隸嘉定進士陞副都御史	許庭光河南河陰進士陞僉都御史

十四年　胡宗道　陝西扶風進士

寇天敘　山西榆次進士歷副都御史

十六年　王震　直隸邢臺進士

肅皇帝嘉靖元年

唐鳳儀　湖廣蘄州進士陞僉都御史

二年　聞淵　浙江鄞縣進士歷吏部尚書贈少保

三年　王爌　浙江黃巖進士歷南院右都御史

七年　陳錫　廣東南海進士

楊璨　直隸華亭進士

八年　陳良器　浙江仁和進士

柴奇　直隸阜山進士

陳昌　山東登州進士　山東通志

十年　江曉　浙江仁和進士

十一年 邊憲 直隸任丘進士

十三年 柴奇 府丞陞

江曉 再任歷工部右侍郎贈尚書

郭登庸 山西山陰進士陞僉都御史

十五年

吳山 直隸吳江進士歷刑部尚書

十六年 孫懋 浙江慈谿進士贈副都御史

楊麒 江西上饒進士陞光祿卿

十九年 戴金 湖廣漢陽進士歷兵部尚書

朱隆禧 直隸崑山進士

陳卿 四川宜賓進士

李舜臣 山東樂安進士

二十年 袁擯 山東德州進士

二十一年 戴儒 江西德興進士陞副都御史

二十二年 吳瀚 直隸吳縣進士

二十三年 洪珠 福建莆田進士

二十四年 歐陽塾 江西泰和進士

二十五年 蔣應奎 直隸江都進士歷兵部侍郎

二十七年

二十九年 呂顒 陝西寧州進士

三十年 鄭漳 福建懷安進士陞刑部侍郎

三十一年 歐陽塾 再任陞南工部侍郎

扈永通 山東曹縣進士改順天

王學益 江西安福進士陞僉都御史

李鏞 山西曲沃進士

何鰲 浙江山陰進士歷刑部尚書

胡叔廉 江西新淦進士

李珊 湖廣衡州衛進士

年	姓名	籍貫仕歷	姓名	籍貫仕歷
三十三年	李珊	府丞陞	凌汝志	直隸常熟進士
三十四年	汪宗元	湖廣崇陽進士歷通政使	喻時	河南光州進士歷南戶部侍郎
三十五年	葉鏜	江西上饒進士陞刑部侍郎		
三十八年	鮑道明	直隸歙縣進士歷南戶部尚書	徐綱	湖廣興國進士歷工部左侍郎
三十九年	呂光洵	浙江新昌進士歷兵部尚書		
四十年	呂時中	直隸清豐進士歷戶部侍郎	孫允中	山西太原右衛進士
	孟淮	河南祥符進士		
四十二年	魏尚純	河南鈞州進士歷南工部尚書	羅嘉賓	四川宜賓進士
	唐寬	山西平定進士		

四十三年	劉自强　河南扶溝進士，歷刑部尚書	
四十四年	劉望之　四川内江進士	
	王鶴　陝西長安進士	
四十五年	李一瀚　浙江僊居進士，陞副都御史	徐應　浙江蘭谿進士，陞南太僕卿
莊皇帝隆慶元年	譚大初　廣東始興進士，歷户部尚書	
	畢鏘　直隸石埭進士，任南户部尚書	
二年		史朝賓　福建晋江進士，陞鴻臚卿
三年		朱繪　山西平定進士
四年	周儆　四川成都進士	丘有嵓　福建晋江進士

五年 鄔璉 江西新昌進士陞副都御史

六年 杜拯 江西豐城進士歷工部左侍郎　楊標 江西清江進士

陶承學 浙江會稽進士任刑部左侍郎

今上萬曆元年 楊成 直隸長洲進士任工部侍郎

汪宗伊 湖廣崇陽進士任南戶部侍郎

三年 雷稽古 山東恩縣進士

四年 程嗣功 直隸歙縣進士任南戶部侍郎　陸樹德 直隸華亭進士

六年 陳于陛 直隸曲周縣進士　辛自脩 河南襄城縣進士

七年 隂武卿 四川内江縣進士　曹大埜 四川巴縣人由進士

八年 方良曙 直隸徽州府歙縣人由進士

八年 劉志伊 浙江寧波府慈谿縣人由進士

九年 劉庠 湖廣鍾祥縣人由進士

十年 游季勳 江西豐城縣人由進士任

十一年 吳善 福建龍溪縣人由進士任

十二年 顧章志 直隸太倉州籍崑山縣人由進士任

十三年 袁三接 廣東香山縣人由進士

十四年 孫丕揚 陝西富平縣人由進士

十四年 石應岳 福建龍岩縣人由進士

李巳 河南磁州人由進士任

董堯封 河南洛陽縣人由進士任

杜友蘭 四川保寧府閬中縣籍南部縣人由進士任

張櫝 江西新城縣人由進士

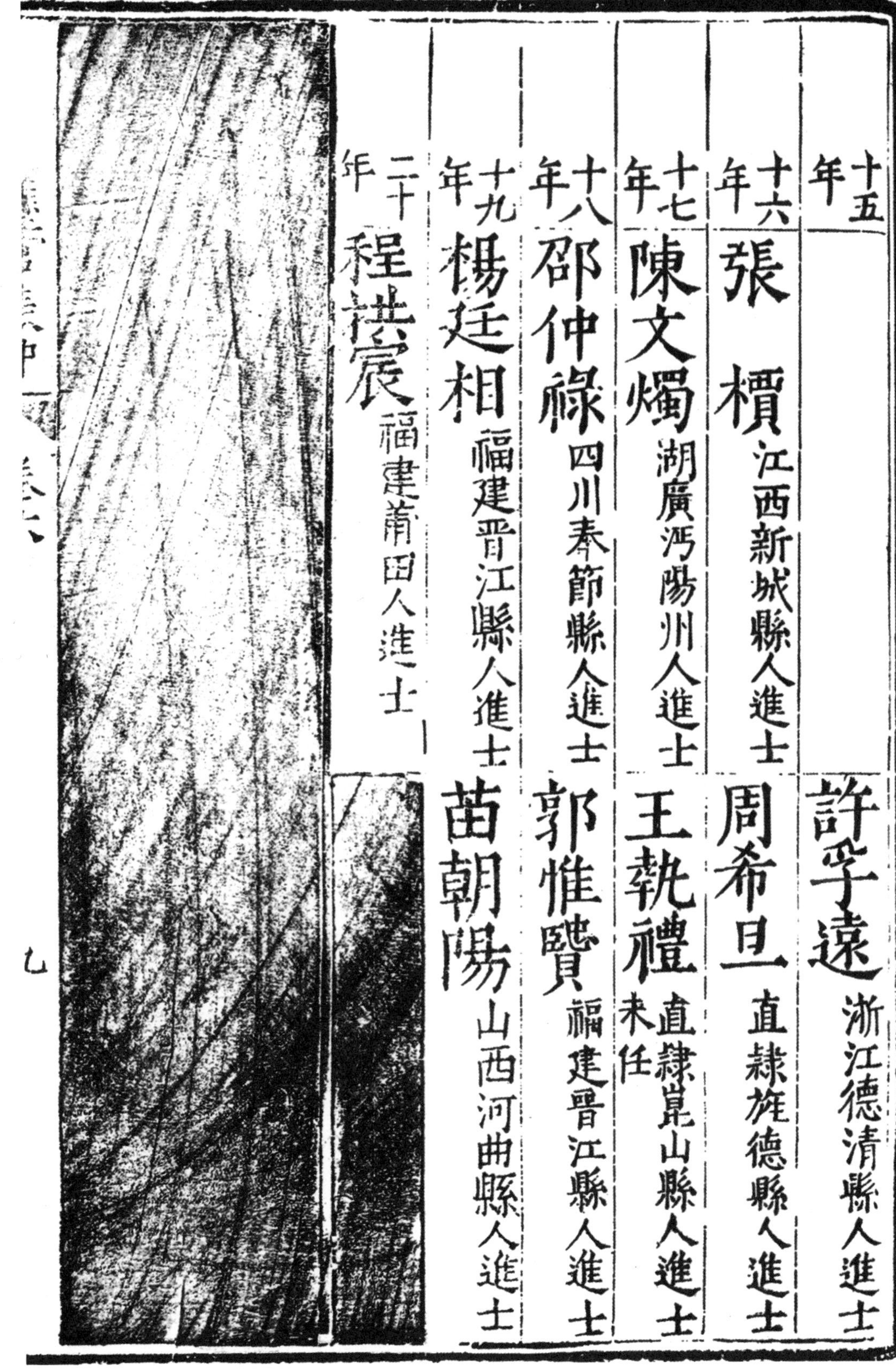

十五年			許孚遠	浙江德清縣人進士
十六年	張檟	江西新城縣人進士	周希旦	直隸旌德縣人進士
十七年	陳文燭	湖廣沔陽州人進士	王執禮	直隸崑山縣人進士 未任
十八年	邵仲祿	四川奉節縣人進士	郭惟賢	福建晉江縣人進士
十九年	楊廷相	福建晉江縣人進士	苗朝陽	山西河曲縣人進士
二十年	程拱宸	福建莆田人進士		

國朝尹丞皆據題名諸記傳中惟確有可徵者始增入删正近時年表較題名似詳第恐傳聞刊寫之誤未敢盡從如洪武五年句容進嘉瓜宋學士作頌曰京尹臣遇林則云鄭沂言四年任六年致仕者恐非滁州志楊元杲仕終知應天府時尚未改尹則云七年任者恐非

聖政記班用吉非周吉實河間寧津人延津志薦辟中無班名氏則云周吉延津者恐皆非徐鐸以尹陞尚書

聖政記在十二年則云十三年以侍郎調尹者恐非
靈谷志云十三年府尹朝佐等於
武英殿欽奉
敕旨則云十五年任者恐非
聖政記二十年以孝廉李德任府尹則云十九年李
舉者恐非永樂二年中官私役工匠召府尹向璉
責之憲章録可考則云薛正言革除四年任叅樂
三年致仕者恐非南畿志載楊榮記宣德七年重
建府學尹史怡則云張璘七年任史九年任者恐

非杜時授監察御史陞陜西副使卒眞定志足徵則列之于尹恐非王弼既云景泰三年任尹而順天年表又云二年卒府丞者恐非成化十年鄉試録魯崇志已爲提調則彭信十二年卒官魯十三年任者恐皆非正德十四年鄉試録胡宗道提調則云陳世良十三年任十五年閑任者恐非嘉靖元年提調鄉試二年諭祭何遵俱尹王震則云正德十六年劾免者恐非南畿志列提調衙尹孫懋丞吳山則云吳先孫爲尹者恐非由國子生任丞

卒贈尹乃張駣中非張元
聖政記可考且靈石屬山西云陜西者恐非太常志
宣德元年、王鐸已爲丞則云四年任者恐非其他
若孟景容李賓洪敬張道禮佚賢孟春題名不列
恐未任也近侍文明萬士和陳一松原未任年表
所不載者尚有朱綱佚東萊路王道陳絳俱未任
湖廣志又有謝與謙惟楊志又有孫祿儀真志又
有王大用徐州志又有周儒俱恐未任槩不書

	洪武	永樂	宣德	正統
治中	王公亮陞府丞 林遂	劉誠湖廣襄陽貢	田翥 檀凱陞府丞 高應福建福州	周澄浙江秀水舉人
通判	高英浙江嘉興貢	張倫直隸滁州貢 黃懋直隸元氏進士 李通	黃祐福建邵武貢	朱昂直隸無爲舉人
推官	劉良直隸高郵人材 王安	馬俊湖廣襄陽貢 金玉湖廣沅州貢	王麟	姜原性

景泰　天順　成化

沈範浙江仙居貢
劉因直隸鹽山貢
葉泰湖廣江陵貢
張泰直隸真定進士僉事
米文山西平定舉人
邊寧山東歷城舉人
王淵推官陞

董貫山東濟寧舉人
黎亨
藺馨四川簡縣貢
林春浙江寧海舉人
許儼浙江淳安舉人
宋珩陝西安塞舉人
王章直隸保定貢
張順陝西咸寧舉人
劉鳳直隸趙州貢

張志
潘勉雲南太和舉人
彭隆廣西宣化舉人
李繡直隸新樂貢
王淵浙江山陰進士
李文雲南金齒司舉人
歐陽伸廣西馬平舉人

弘治

彭鎬

張雄 山東范縣進士

劉奎 順天昌平舉人

邢昊 直隸華亭舉人

汪恩 湖廣漢陽官生

正德

謝驥 江西新建官生

楊廷用 四川宜賓舉人

蔣孝 浙江長興舉人

范昌齡 浙江天台舉人

程安 直隸定邊衛舉人

戴昊 廣東南海舉人

張逵 山西蒲州舉人

祝允明 直隸長洲舉人

鄭濟 直隸平山進士

周昊 廣東新會舉人

吾翕 浙江開化進士

尤伸 順天大興舉人

褚杲 浙江山陰進士

何樟 直隸泰興舉人

徐海 浙江常山進士

王昂 四川廣安進士

趙儀 雲南太和舉人 陞知州

張海 福建閩縣舉人

秦偉 直隸無錫舉人

童蒙正 四川銅梁舉人

夏玄 濟川衛舉人陞府同知

嘉靖

陳嘉謨 福建長樂進士

王誥 順天保定舉人

章諍 直隸太湖舉人

王卿 直隸真定舉人

呂言 浙江秀水官生

張弁 山西代州進士

于淳 河南洛陽舉人

楊自勤 河南新鄭舉人

陳廷璉 廣東增城縣人

郭重 河南武安舉人

胡洲 河南舉人

陸應寅 直隸華亭舉人

葉遇春直隸太倉進士陞郎中
閻俸陝西隴州舉人
龐嵩通判陞歷知府
[illegible]道明福建上杭貢陞長史
查秉直浙江海寧舉人
余鋐江西鉛山舉人
李渭貴州思南舉人歷左參政

張珊江西吉水舉人
劉逸
戴高福建舉人陞知州
龐嵩廣東南海舉人
包湘浙江寧海貢
桂載江西安仁官生
張峰江西泰和舉人
汪宗之江西貴溪舉人
周弘毅湖廣麻城舉人

錢允直隸常熟舉人
羅節卿廣東順德舉人
程學顏湖廣孝感舉人陞太僕丞
韓珊湖廣光化舉人陞通判
張夢斗福建懷安舉人陞主事

隆慶

馮秉舜 浙江慈谿舉人

閔宗劭 浙江烏程舉人

劉衍愆 江西萬安舉人歷員外

李思悅 廣東海陽進士歷郎中

孫克弘 直隸華亭官生陞知府

羅鳳翔 山西蒲州舉人歷郎中

陳思忠 福建莆田進士陞郎中

王簡 直隸趙州官生

蔡茂春 順天三河進士歷郎中

文階 四川南充進士

包大爟 浙江鄞縣進士任郎

陳治安 貴州宣慰司進士陞

朱大年 直隸華亭舉人陞知

萬曆

潘孚雨 德府群牧所舉人歷知府

趙鉞 福建長汀舉人陞主事

周恪 直隸太平舉人調順德

譚文顯 直隸太平舉人陞知州

馬絫 直隸通州官生

江埏 浙江仁和官生歷知府

黃喬棟 福建晉江官生

尹彥 浙江僊居舉人

王子順 河南振武衛舉人陞府同知

李文餘 福建平和進士

詹世用 江西弋陽進士

陞知府

胡梗 直隸滁州官生

秦致恭 廣西靈川進士 陞南太僕丞

馮行可 直隸華亭舉人

浦朝柱 山東登州官生

小及無志可稽姑表所知爾

經歷

趙才昌 湖廣武岡人材

劉光

知事

照磨

檢校

洪武

永樂

蕭存義 直隸滁州歲貢

黃仲才 四川新津貢

宣德	林景禮	郭良 山西大同		
正統	李譚 福建建陽 貢			
景泰	秦朝舉	鄭彧	鄒魯	張釗
天順			楊森	
成化	徐八斤 陝西淳化 貢 邢曙 河南臨穎 舉人 楊淳 貴州永寧衛 舉人	賈徵 山西大同 貢		
弘治	杜伏鏞 四川成都 監生 俞椿 浙江鄞縣 監生	郭珏 山東鉅野 監生 王仲元 山東蒲臺 監生	黄蘭 四川仁壽 監生 李蕙 直隸宣城 監生	宋相

朱重光江西浮梁監生
沈謹直隷宜興監生

史伯敏浙江餘姚官生

正德

王文炳直隷武進官生陞知州
曹洋錦衣衛儒士

嘉靖

崔士夔直隷藁城監生
符節遼東監生
畢世臣山西應州監生
杜松直隷昌黎監生

戴冠浙江昌化監生
李汝翼河南上蔡官生
丁朝宗山西萬泉監生
戴景賢江西金谿監生

鄧鶤江西崇義監生
吳輅直隷無錫監生
王偉山西太原監生
張大倫陝西米脂監生陞州判

蘇貫福建建安監生
秦環山西忻州監生
康紹光山西興縣監生

張鶴山西安邑監生
王汝楫直隷滑縣貢
趙銘山東儀衛司監生
張緯山東陽穀監生

隆慶

成就 直隸大名監生
陸自成 直隸[illegible]縣監生
何忠 直隸青陽監生
李東 河南洛陽監生

繆守何 直隸無錫監生
霍桂 廣西藤縣監生
白象 直隸滄州監生

許中 四川越巂監生
馮樂 浙江烏程監生

陳漢 山西馬邑貢
于粲 山東禹城貢監縣丞
任鴻儒 山西汾西監生
朱家相 湖廣黃陂儒士

吳儲 直隸宜興儒士

萬曆

郭與志 直隸元城貢監推官
盧定 河南湯陰監生
陳嘉猷 山東昌邑監生
李時雨 江西龍泉儒士陞照磨

鄒鉉 直隸吳江知事
段乾 直隸監生

劉存業 福建同安監生
冉夢龍 河南中[illegible]縣人貢[illegible]
仲春 浙江秀水儒士

儒學教授

訓導

成化	景泰	正統	宣德	洪武 革除
黃賜 福建閩縣舉人歷應府同			李存豐	黃瑛 句容薦舉
	劉錦 江西泰和	謝熙 浙江臨海	劉嵩 達定	呂熙 湖廣黃岡歷吏部尚書 王汝玉 直隸長洲應博士歷左贊善贈太子賓客謚文靖
			趙達 王貫	

知

弘治

李濬 福建莆田舉人陞推官

常金 浙江嘉興

張中 江西

秦芃 四川

趙達 四川

張慶 陝西舉人

洪敏 福建泉州舉人

正德

熊[illegible] 陝西舉人[illegible]陞知縣

王道 山東武城進士庶吉士改歷吏部左侍郎

張雲龍 福建泉州舉人陞通判

周德慧 江西舉人

陳瑞 江西上高貢

張淮 河南舉人

鄒紀 江西舉人陞府同知

朱善 浙江永康

党滿 浙江台州

羊覃 浙江處州

廖尚德 江西舉人

毛潤 湖廣荊州陞教授

陳義 福建

戴章 福建漳州陞教諭

何奎 浙江嚴州

邢鉞 直隸大名陞教諭

戴恩 江西

尹鏜 浙江湖州

嘉靖

范震 浙江永康舉人陞國子學正

朱文會 湖廣承天進士歷郎中

劉紀 廣西桂林舉人歷國子監丞

鄭汝舟 福建莆田舉人歷僉事

賀鈞 江西廬陵舉人

黃獻可 福建莆田進士

陳詔 浙江溫州

莊科 福建泉州舉人

李樹 廣東番禺陞教諭

劉環 湖廣

陳嘉靖 浙江金華貢

凌雲鳳 浙江新城貢

黃森 福建

陳瑞 江西

李山 浙江嘉興陞教諭

錢山 湖廣醴陵貢

張麟 浙江仁和貢陞教諭

孫珮 山東掖縣貢陞州學正

胡儒廣西儀衛司舉人陞知縣
朱瓚江西新淦舉人陞知縣
蕭應魁廣東番禺舉人陞學録
陳九成廣東高要舉人陞助教
彭軏浙江嘉興進士歷員外
章世仁直隸青陽進士歷參議
林文甲直隸常州舉人
王銑直隸吳江舉人陞通判
董汝豫河南洛陽舉人

劉澄廣西北流貢陞教諭
鄧德昌廣東順德貢
曾德牧福建古田貢陞教諭
李弼廣西梧州貢
榮宗良山東堂邑貢
龔崇江西上饒貢
章春浙江青田貢
祝爾耆浙江龍游貢
劉震福建長汀

夏袞江西德興貢陞州學正
陳九疇廣東番禺貢陞教諭
許金浙江天台貢
余士驥江西星子貢
應檣浙江遂昌貢
孫肯堂浙江海鹽貢
陳思惠福建貢
王境浙江黃巖貢
范栻浙江崇德貢

楊汝弼 山東平度州貢

黎本淮 廣東崖州

王應祥 河南上蔡

楊昺 江西安義貢

吳諫 直隸黟縣貢

孔承蕭 山東曲阜貢

馬雲龍 四川閬中貢

潘震 浙江安吉貢

曾春和 江西南豐

梅士實 山東濟寧貢

俞振達 浙江新昌貢陞教諭

蘇文翰 四川筠連貢

鄭聰 江西玉山

陳奇 福建靖安貢

蔡偲 湖廣嘉魚貢

符存心 順天永清

唐昺 福建安溪貢

崔奇元 山東泰安貢

潘伯驤 浙江烏程歷知縣

隆慶

趙孝祖山東齊東貢

孔弘申山東曲阜貢陞通判

萬曆

傅國璧江西臨川舉人陞學録

吳潔江西金谿進士陞推官

王一化直隸泰興貢

徐可立浙江德清貢

龔治江西星子貢

汪烱浙江開化貢陞教諭

華復初直隸無錫貢陞教諭

黄文範福建莆田貢

聶大倫福建邵武貢

譚鳳儀湖廣茶陵貢

賀僎直隸丹陽貢

王時敬浙江餘姚貢

來文中四川梁山貢

劉徤湖廣衡陽貢

李芊湖廣安化貢陞教諭

馬逢伯直隸江都貢陞教諭

楊應節貴州普定貢

余治易直隸桐城貢

胡冀山東安東衛貢

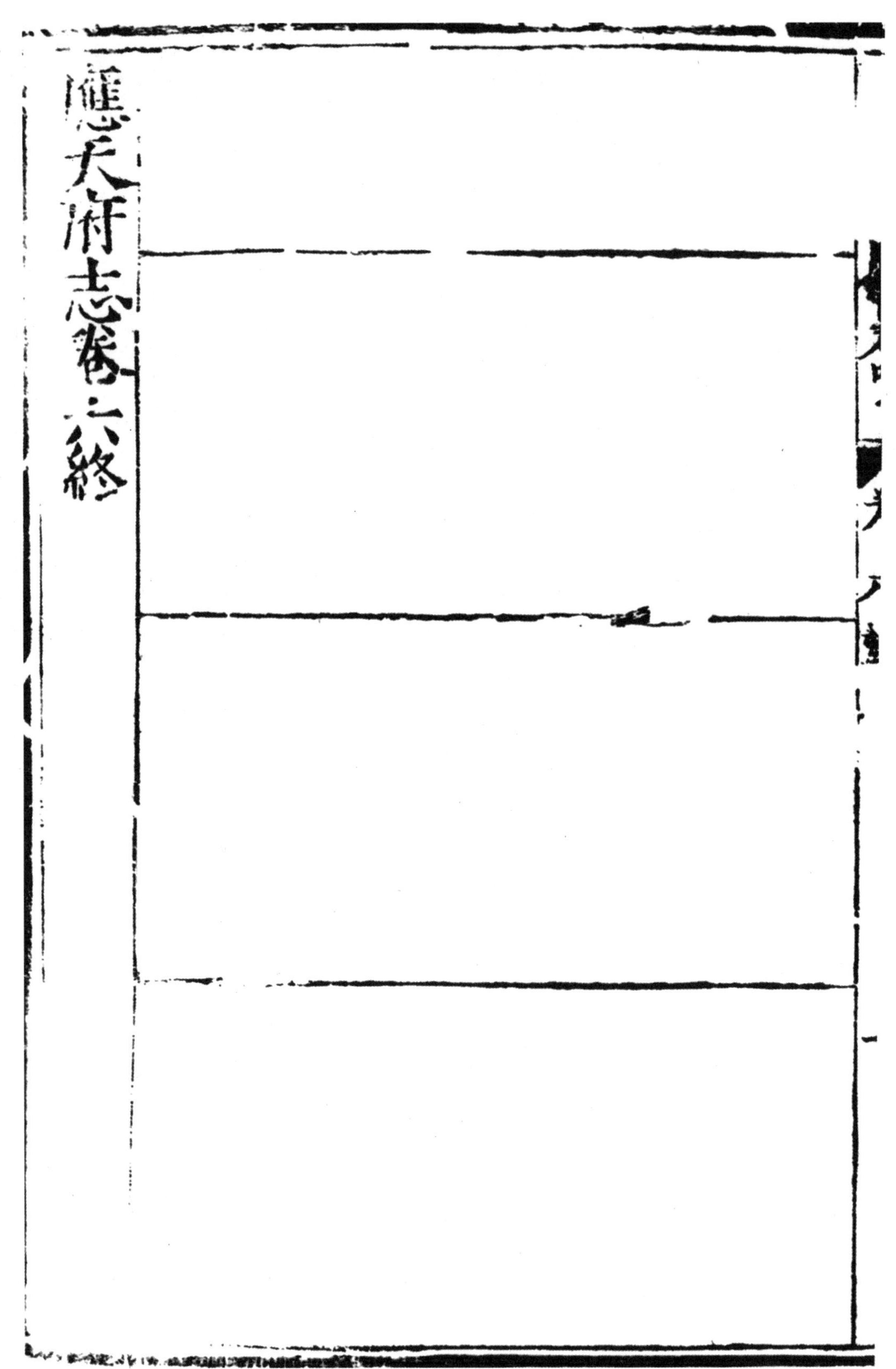

應天府志卷六終

應天府志卷七

歷官表下

	上元知縣	縣丞	主簿
洪武	君昌期直隸鳳陽人材陞主事 伍洪江西[illegible]舉人 呂貢 湯宗誠福建寧德舉人 趙旻山西蒲州 司馬東陝西西安監生		

永樂	宣德	正統	景泰	天順
李褒 江西廬陵進士 陳奐 浙江慈谿明經主事 何均平 陝西西安進士 黃思敬 浙江歸安進士陞郎中 謝[illegible]	李彬 直隸晉州舉人	姜德政 浙江江山	張靈	符台 河南
秦觀 浙江錢塘	王觀 湖廣武昌貢		張德	張淅
	黃厰鵬 湖廣興寧薦舉	常廷 直隸平山舉人	王慎	時安 河南光山

成化　弘治　正德

王憲 直隸晉州監生
湯寧 山東歷城舉人
蕭謙 陝西長安進士
王定安 順天大興進士陞員外郎
馬良 陝西[illegible][illegible]丞陞
趙坤 浙江慈谿進士
周容 直隸寶應監生陞知州
杜惇 浙江慈谿舉人
袁陽 直隸滿城進士

王佐 山東博平監生
劉志道 直隸曲陽
魯文 陝西岐山監生
[illegible]良 見知縣
袁龍 直隸合肥監生
方穀 江西浮梁監生

郝隆
呂璋 廣西桂林衛貢生
宋寧 順天武清監生
李綱 山東曲阜監生
王玉 陝西鄜州監生

嘉靖

袁顯 湖廣來陽舉人陞知州

余韶 江西南昌舉人改都司斷事

李壕 山西潞州舉人陞府同知

白思舜 山西平定舉人

周[illegible] 山東歷城舉人

魏弘仁 陝西涇陽舉人

陳瓚 浙江天台進士

石淵之 浙江黃巖舉人

程[illegible] 江西南城舉人歷苑馬少卿

張瑃 遼東前衛監生

王世昌 山東萊陽監生

翟表 山東費縣監生

陳道生 直隸宜興監生

潘彥富 湖廣監利監生

朱希顏 直隸崑山監生

黎良 廣東博羅吏

周和 江西樂平吏復補江寧

戴鑑 江西德化吏

侯大用 山西靈丘吏

吳縉

安磐 陝西耀州監生

程志 河南胙城監生

劉熙載 江西永新監生

鹿堂 直隸潁州監生

暢忠 山西河津監生

劉蔡 浙江仁和舉人

張宿 浙江餘姚舉人

景鸞 陝西岐山舉人

袁鑑 廣東揭揚舉人歷知府

劉以貞 江西安福舉人

房韞玉 山西靈石舉人

段有成 雲南昆明舉人陞主事

宋德盛 山東靈山衛監生

張德 直隸宿松監生

楊亨 陝西監生

方釜 直隸歙縣監生陞通判

程民孚 直隸歙縣監生

吳時中 湖廣隨州監生

馬廷臣 直隸元城監生

李奇章 四川合縣監生

王嘉譽 山西高平監生

廖喹 福建龍巖監生

蕭順 廣東新會監生

劉錀 四川龍州宣撫司貢陞知縣

張昂 直隸昌黎監生

程滋 直隸歙縣監生

陳沛 廣東德慶監生

彭夢祥 山東曹縣監生

官表十　卷十

隆慶

袁伯雅 江西豐城舉人

王誥 江西清江舉人　陞太僕寺丞

萬曆

林大黼 福建莆田舉人

陳儒相 山東濟寧監生　陞州同

毛效廉 山東陽信監生

葛釜 湖廣施州貢

曹忠 山東萊蕪貢　陞知縣

范燧 江西南城恩貢

李思詔 直隸河間監生

盧學詩 直隸南宮監生

熊祺 四川中江知印

杜漸 陝西鎮安貢

周文瑞 江西玉山吏

任試 浙江會稽吏

邑志自思齊而上遡知縣二十三人丞以下不錄茲於

大誥得呂貞南戶部事例得高應吉安湖州郴州等志得李褒黄思敬黄厥鵬餘出題名中故雖略而核江寧亦然

	江寧知縣	縣丞	主簿
洪武	張[illegible] 江西九江步仁人材 高炳 出大誥 張士彬 山陽陞御史 周瓛 直隸泰州人材 出惟揚志 錢覍 浙江嵊縣	陸仁 浙江江[illegible]	

永樂

王愷 湖廣蒲圻進士陞左中允歷參議

張得中 浙江慈谿進士改王事

陳孜 江西九江

周貴 湖廣沅州

宣德

藍清 江西高安貢出吉安志

徐岡 直隸泰州貢出淮陽志

夏鵬 山東章丘監生

陳康 直隸沭陽出登科錄

正統

周原慶 浙江青田

劉傑 河南睢州舉人

景泰

李褒

熊肅 陝西寧州貢

芮璨 河南郾城

鮑宗仁 浙江武義

劉志道 復補上元

耿乾 陝西西安

陸芸 浙江青田

黃九萬

天順

胡謐 浙江會稽進士歷參政

陳紀 四川墊江貢

扶忠 湖廣監生

廖世清 江西泰和進士

成化

周博 湖廣道州舉人

胡鄘 直隸睢寧貢

劉傅 嘉定進士

武敬 廣東化州

張旻 浙江嘉興

王佐 山西馬邑監生

江孚宗 四川江津

弘治

朱宗 河南睢州舉人

袁暘 直隸丹徒進士

易寵 江西安仁舉人

劉淵 四川閬中監生

正德

殷經 湖廣江夏舉人

王文麟 陝西泰州舉人

吳時俊 廣東南海舉人

王誥 陞治中

胡溥 四川富順

馮璽

王璣 山西陽城舉人

彭銳 河南汝陽

汪瀌 直隸歙縣舉人陞知州

秦鴻 湖廣歸州監生

楊瓚 山西

朱晟 直隸合肥監生

周和 見上元

鄭賢 四川岳池監生

呂籃

李冕 湖廣桃源

張綸 山東靈山衛監生

嘉靖

張恕 河南洛陽舉人

洪顯 浙江湯溪舉人

秦洪 湖廣江陵監生

王震 湖廣通道監生

鄒魯 湖廣宜城監生

王震 直隸晉州監生

湯時平 湖廣靖州舉人

楊梅 河南陝州

崔尚義 直隸長垣舉人

楊京 福建建安舉人陞太僕丞

臨目 山東人即墨官生

甘應禎 直隸真定衛舉人

祝朝用 四川儀衛司舉人

何价 湖廣道州舉人

毛國賢 浙江鄞縣舉人

趙翔 直隸武進監生

章恩

藍璞 江西新喻吏

郭廷輅 山西文水監生

曹炳 太平監生

覃鑾 四川萬善監生

張中立 江西餘干監生陞斷事

劉孟春 河南監生

劉懿 河南祥符監生

孫文山 直隸桐城監生

洪猷 浙江壽昌監生

馬應祥 陝西榆林衛監生

涂億 江西監生

趙爾秀 浙江臨海監生

張慾 陝西郃陽監生

伍鳳冠 湖廣新化監生

梅中立 直隸上海監生

王嘉相 直隸邯鄲監生

應天府志 職官表 卷

隆慶	萬曆	洪武
金傑 浙江蘭谿舉人 吳福基 雲南衛舉人陞主事 李一鶚 山西應州舉人歷郎中 李爵 湖廣長陽舉人陞主事 武綸 山西陵川舉人 陳謙 浙江仁和舉人		句容知縣 黃守正
侯翰 山西汾西監生 周冕 直隸舒城貢 甯鸞 廣東靈山貢陞審理 馬世祚 河南禹州官生		縣丞 史顯
廖應元 雲南河陽貢 黃傑 浙江餘姚貢 郭祺 萬全都司貢		主簿 顧袁 貢出大誥
		教諭 胡璉 江西萬安薦舉
		訓導 許淳 邑人陞知縣

陳俊德

黃文蔚

柴恭

夏常

韓繼　直隸河間

韓宗呂

王成　湖廣蘄州

朱彤　湖廣蘄州州陞通判

文良舉

劉復仁　直隸揚州

盧信仁　浙江黃巖歷參議

凌德茂

任允　湖廣桃源

朱純　邑人儒士

樊傑　邑人明經

胡熟　邑士

革除

周舟 湖廣益陽陞大理卿

永樂

胡仲周

李濟

徐大安

周肅節 江西清江陞通判

高麟

王翮

余貞

趙啓

戴祥

鄺子輔 湖廣郴州舉人

趙學拙 福建南平舉人

江源 邑儒士

揺昌

彭汝鄒

宣德

許聰 河南南陽陞通判

郭振

周順

王得 順天薊州

羅昇

趙克通

陳信 浙江嘉興舉人

方肇

正統

張昇 浙江杭州御史 謫

韓鼎 浙江定海舉人

浦洪 浙江秀水貢陞大理寺副

張文善

周順 江西

孫俊 直隸寳應貢

許瓊 福建

崔恕

韓閏

傅祥 陞武學教授

賀彬 山東滕縣舉人

師孟 河南

陳玹 江西南昌舉人陞教授

林瑱 福建莆田舉人陞教諭

于中 山東

黎真 直隸任丘舉人陞教授

程童 福建浦城

賀斌 山東

林烶 福建

趙得卅
李儼
金翥
林惟高

景泰
姚顯
劉義見知縣
楊立
蕭敦江西
徐宅大浙江會稽明經歷長史

天順
劉義山東諸城舉人
劉釗
紀銘湖廣襄陽貢
蕭文奎江西

成化

劉濬 湖廣上津進士 陞御史 出襄陽志

趙瓏 浙江

魏可宗 湖廣

陳鋈 福建侯官舉人

張羽

王本原

李聰

雷欽

歐陽倫 江西

洪文焰 四川

沈祥 河南

張蕙 山西忻州進士

武忠 河南

藍俊 陝西

徐軫 福建侯官舉人

方雍 浙江桐廬

弘治

陞御史

濮壽 山西

徐廣 山東曹州進士

李澄 河南西華進士 陞御史

王僖 浙江長興舉人

杜槃 山西太原舉人

黃原良 福建閩縣

安慶 直隸滑縣

鍾璠 山東

丘叔麟 廣東

林恭 福建莆田

李傑 河南歸德

孫郁 山東

程通 陝西

陳俊 廣東

黃傑 陝西

賈禎 陝西安化貢

薛任 湖廣

李滋 直隸真定

蔡祥 江西

常清 山東濟寧

陳元 福建莆田舉人

曾昇 廣西

王禎 江西安福

栢永 廣東

潘浚 江西安福貢陞教諭

石旻 直隸元城

鄭賢 福建南平舉人

吳箴 江西永新

程文 江西浮梁

章穎 浙江台州

正德

張瓛 四川郫縣進士
劉釗 順天順義
王汝舟 四川華陽進士
簡佐 江西新喻進士
梁鉉 山東蓬萊
李應春 湖廣永興

王永亨 陝西河州
王珉 山東曹縣
葉昂 江西南昌
郭淮
莫如德 廣西蒼梧
陳紀 廣東陽山
王袞 湖廣茶陵衛

劉富 直隸真定
沈鳳 山東東昌
喻瑛
張輝
王蒼
劉讜 山西安邑
王莠 山東博興
孫彥 廣東吳川
張縉 陝西咸陽

陳信 江西新淦
袁誠 浙江仁和
耿忠 山東鄒平
錢組 浙江鄞縣

唐譜 湖廣蒲圻貢
詹明 浙江松陽
黎順 江西豐城
陳蒼 河南泌陽
胡清 浙江泰順
林顯 廣東化州
應振綸 浙江象山
徐隆 浙江錢塘

黃驥 福建同安
楊訪 直隸清豐
王瀚 河南及縣
曹振 河南襄城

嘉靖

紀資 直隸任丘進士歷按察副使
羅鐩 江西泰和
王紳 直隸滄州進士歷都御史

齊維熊 浙江淳安
蔣璃 江西廬陵
丘余 浙江鄞縣
楊孫元 浙江慈谿
梁珣 山東寧海

張載理 直隸衡水
弋霖 直隸景州
楚麟 河南歸德
劉珊 順天三河
張彥 河南河陰

馬呈瑞 福建莆田
汪法 江西德興
孫隆 浙江鄞縣
楊薰 湖廣房縣
蔡衎 江西金谿

張世卿 山東滋陽
雷孟春 湖廣嘉魚
錢傑 浙江慈谿
鄒魯 直隸濬縣
張錦 山東鄆城

陳文[illegible]
周仕 江西廬陵舉人
徐九思 江西貴溪舉人歷知府
況國奇 江西奉新舉人
樊垣 四川宜賓進士歷郎中
孫光 陝西隴西舉人

田正陽 四川泥溪監生
嚴治 江西彭澤監生
賈中錫 浙江海寧監生
劉克己 山東商河貢
解校 山東霑化貢
蕭遜 福建南平監生

曹來洛 河南鄭州
楊松 遼東
南鈺 陝西山陽
李孟芳 山西嵐縣
苗倫 山西長子
顧景禎 遼東鐵嶺監生
陳天賦 浙江富陽監生

唐朝德 廣西全州舉人知縣
楊經 河南衛貢
胡直 江西泰和舉人登進士歷按察使
楊凌漢 四川覔貢
周武相 廣西臨桂舉人

孫應[illegible]
楊隆 湖廣[illegible]溪貢
史定 直隸定興貢
陳俞 河南裕州貢
楊維春 江西東鄉貢
謝章 福建邵武貢
藺完璧 河南裕州貢

甄津 山東魚臺進士 歷參議

魯應鋞 浙江江山舉人

劉璧 貴州清平舉人

胡師 江西豐城舉人 歷通判

賈世寧 陝西隴西監生

張文桂 山東沂水監生

申一桂 山西潞城監生

曹鏜 萬全都司貢

岳河 直隸邯鄲知印

余意 四川閬中監生

王堯卿 河南洛陽舉人

胡闓 江西新昌貢

汪文 浙江建德貢

鄔維疆 江西新昌貢

曾袞 江西永豐貢

姜燋 江西進賢貢

崔雲鵬 雲南保山貢

張時明 湖廣仙門貢

隆慶

周美浙江富陽進士歷郎中

張道光河南商丘

常懷義山西潞監生

彭大亨四川龍安

張東岡江西新喻知印

周良貴江西上饒監生

劉定江西豐城吏

劉緒直隸灤州吏

連相福建惠安監生

章元熙浙江會稽監生

沈升浙江太平貢

胡完浙江餘姚貢

葉廣明廣西宣化貢

曾祺江西樂安貢

	萬曆	
進士 坐事 御史	丁賓 浙江嘉善進士	
監生 花坤 山西長治貢 諸民式 湖廣江陵 監生	李登 直隸上元吏 莫克和 山陰吏	
花倣 江西弋陽監	劉蘭 直隸曲周監生 張花 浙江秀水 監生	劉圻 順天貢
	施岳 浙江歸安貢	
	胡允佳 浙江海寧 貢	張翼鳴 直隸鳳陽 貢

縣嘉靖志稱盧信爲縣丞而列於知縣許淳

為訓導而列於教諭兹正之

	國初	洪武
溧陽知州	苟着孫 邑人	林公慶 浙江括蒼 王琳
溧陽知縣		顧思邈 吉希古 李皐 出大誥
縣丞		夏廸 浙江天台歷都御史 顏檜 山東曲阜顏子
主簿		鄧祖賢 江西[illegible]茂才出南安志
教諭		秦約 直隸崇明 呂升 浙江山陰舉人歷大理少卿
訓導		王可貞 邑人

永樂

尚致中

張敏 御史謫

孫子彰

盧何生 江西南豐

趙銓 山東壽光歷府同知

梁思忠 直隸寶應孝廉

盧文政 湖廣江夏舉人歷太

五十八代孫出聖政記

王仕敬 江西武寧史

梁混 江西泰和

陳餘 江西泰和

	宣德	正統
僕卿 李成 張貞 石確直隸昌黎	李銘直隸東光 劉海直隸遷安	鄔璹江西新昌吏
	鄔璹歷知縣	
	王侃陝西	丁直浙江上虞 郭鶴山東新泰 張質直隸永平
		陳仝 龔寬 余遷江西泰和
		金富 郁復

楊楫 湖廣潛江

鄒銓 江西興國

尹弼 直隸栢鄉

景泰

龍儀 江西南昌

栗敬 山西岢嵐

王貫 浙江處州

許仕 福建莆田

天順

李溥 直隸長垣進士

員賢 陝西咸陽貢

熊鑾 江西南昌吏

李仁端 江西南昌

宋必華

王稌 江西泰和

王淙 浙江錢塘舉人 陞助教

成化

靳瑄 順天順義舉人

白忠 湖廣華容進士

陳福 湖廣漢陽進士

徐方 四川成都

劉時 山東當縣

秦福 直隸内江

韓欽 直隸贊皇監生

趙鎔 河南汲縣監生

羊敬 江西九江吏

趙璉 浙江上虞舉人

施俊 福建侯官舉人

聶瑺 江西豐城舉人

包恕 浙江桐廬貢

楊盛 河南臨漳舉人 陞教授

陞主事

熊達 江西南昌進士 陞御史 歷參政

王昷 陝西

田甫 山西太原

祁壽 河南汝州監生

楊順 直隸保定監生

周浩 浙江龍泉監生

盧泰

張寧

李海

劉爾 陝西蒲城吏

涂參 江西南昌吏

江灝 直隸棗強舉人

沈繹 浙江天台舉人

孔文獻 湖廣光化舉人 陞教諭

許

劉嵩 直隸鹽山舉人 歷長蘆 指揮

陳鏞 浙江定海貢

劉致中 浙江黃巖舉人

陳宗泰 福建長樂

弘治

沈瓚 順天大興進士

龔忠 湖廣永定衛監生

祁貞

包玉 雲南大理舉人

舉人

楊榮 四川永川進士 御史謫陞通判

崔浩

李良卿 福建閩縣舉人

夏盛 雲南金齒衛貢

韓紘 山西石州監生

陳操 浙江太平

楊敞 貴州宣慰司舉人

符觀 江西新喻進士 歷參議

宋清 江西南昌

田畯 直隸博野監生

李元宏 浙江黃巖舉人

徐清 廣西臨桂進士 歷知州

胡鑑 江西浮梁吏

嚴浩 湖廣溆浦監生

陳軒 福建甌寧貢

田墀 河南襄城舉人 陞御史

王成 山西絳縣吏

葛昇 開平衛監生

正德

況璟 江西高安進士歷郎中

黃雄 直隸進士

董慜 河南鈞州

譚用時

趙繼宗

張文進 湖廣長沙監生

郭宇 直隸滄城監生

周正 直隸南樂監生

郁琦 山西陵川監生

羅泰 河南尉氏監生

史鏞

楊梅 陝要

劉瑄 塞

董遵 浙江蘭谿貢

李岫 錦衣衛舉人

陳大齡 廣東東莞

葉美

劉德明 江西泰和

閆晟 江西貴溪

張時南 順天大興進士
嚴時泰 浙江餘姚進士歷南工部侍郎
周宗本 廣東瓊山進士歷郎中
莊哲 福建晉江舉人

閻文 陝西涇州
李琮 陝西襄城監生
耿光 監生

舉人
張烜 廣西慶遠衛舉人登進士歷副都御史

許祥 雲南石屏
余鑑 浙江臨海
孔時 浙江慈谿
傅俊 江西臨川

嘉靖

湯𢘨 四川潼川進士
梁九皐
阿其麟 山西代州進士
邊究 直隸任丘監生
許遷
郭廷臣 山西舉人
周懋光 福建莆田
楊言 浙江鄞縣進士給事中謫歷副使
完顏佑 河南監生
陳策 浙江慶元監生
羅金 江西吏
謝崑 福建同安進士
沈孝子 浙江餘姚吏
葉賢 江西貴溪舉人

羅廷相 江西吉水監生陞知縣
李復光
覃鑾 湖廣
曾爵 湖廣
高節
章錄
吳可久

吳晏 湖廣江夏舉人歷知州
李奎 江西南城
孫憲 浙江奉化舉人陞知縣
劉木 湖廣麻城舉人歷知州
張洋 廣東東莞貢
韓澄 浙江慈谿貢
余俊 福建將樂貢
嚴佑 浙江奉化貢
陳至德 廣東潮陽舉人陞教
毛渭 浙江貢陞知縣
趙濮規 浙江樂清貢
曾元炳 福建古田

盧金潤 廣東舉人

唐仁 浙江蘭谿進士

呂光洵 見府尹

王翹 江西永新進士 歷副都御史

沈鍊 浙江會稽進士 歷錦衣衛經歷 贈大理少卿

郭從華 浙江諸暨監生

盧相 河南許州

許潞爲 浙江孝豐監生

魏鉞 山西監生

田經綸 順天

喻祐 四川貢

韓琳 山東清平監生

胡可行

喬昂

張瀛 順天監生

談從志 浙江德清

徐鯤 浙江

王萬斛 山東

彭駉 江西宜春

鄭紹英 廣東

授

陳應鶚 福建延平舉人 歷知州

李瓚 江西豐城舉人 陞知縣

林楚 福建漳浦舉人 陞知縣

王以佐 福建閩縣

貢陞 教諭

應大經 浙江僊居貢陞 學正

廷銘 山東昌邑

周松 江西萍鄉

胡寶 江西餘干貢陞 教諭

黃綵 福建漳浦貢陞 教諭

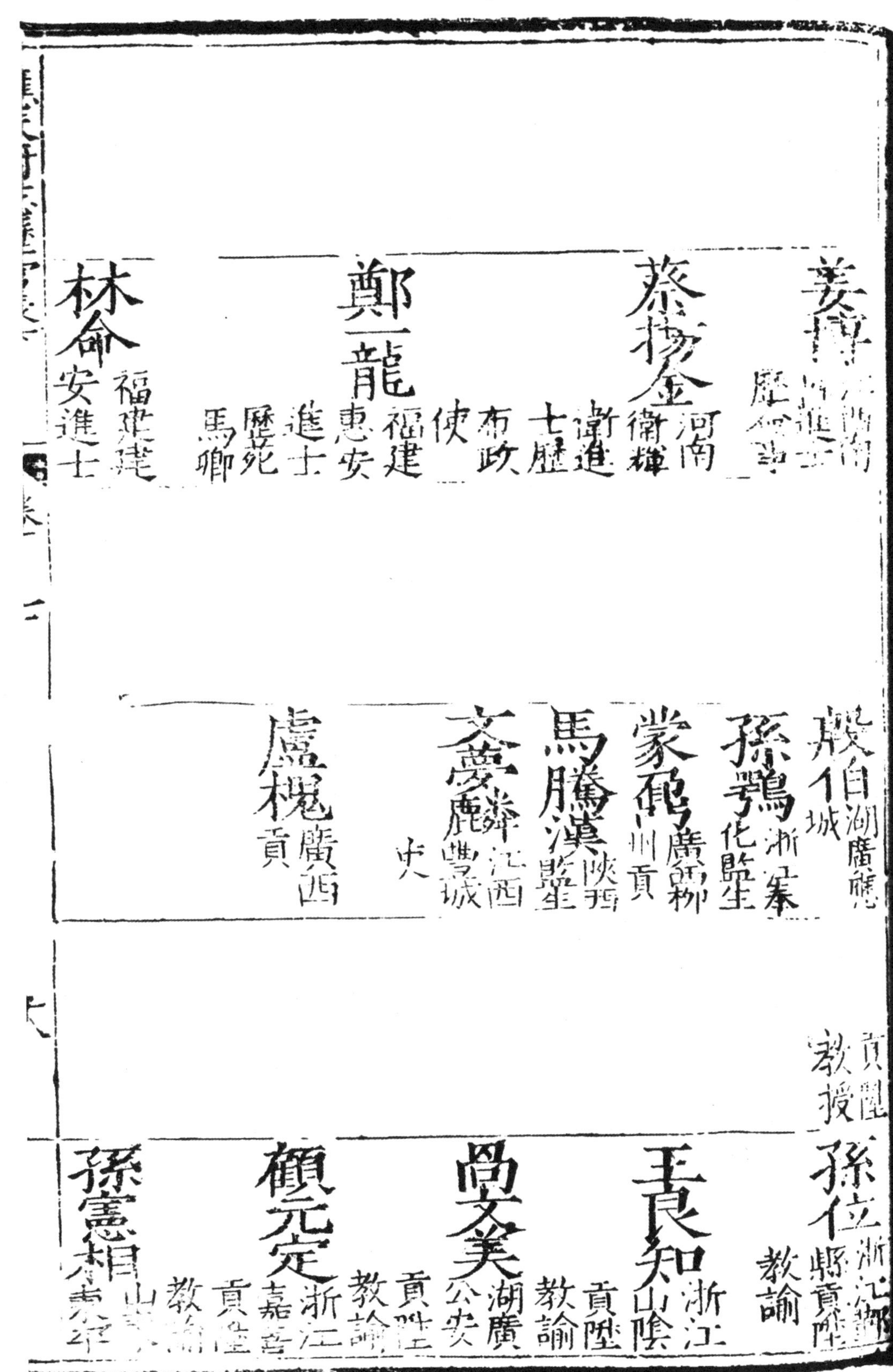

姜[illegible] [illegible]進士 歷僉事

蔡懋金 河南衛輝衛進士 歷布政使

鄭一龍 福建惠安進士 歷苑馬卿

林命 福建建安進士

殷[illegible] 湖廣應城

孫鶚 浙江奉化監生

蒙爵 廣西柳州貢

馬騰漢 陝西監生

文夢麟 江西豐城 史

盧槐 廣西貢

貢監 教授

孫位 浙江鄞縣貢監 教諭

王良知 浙江山陰 貢監 教諭

周文美 湖廣公安 貢監 教諭

顧元定 浙江嘉善 貢監 教諭

孫憲相 山東[illegible]平

歷參政

王諍 浙江秀 嘉靖進士 歷副都御史

林應節 福建莆田 進士 歷參政

趙應元 浙江仁和 進士 調奉新

貢監

教諭

隆慶

盧漸 浙江鄞縣進士歷員外郎

鄒學桂 浙江餘姚進士歷員外郎

郭堯 浙江蘭谿監生

蕭桐 順天涿州貢

馬應辰 河南蘭陽貢陞工正

李光先 山西汾西監生

鄭友善 湖廣澧州

蔣煥 廣西全州貢

吳耀 湖廣零陵舉人陞知縣

王繼鳴 廣東海陽貢陞教授

唐一元 湖廣東安貢陞學正

林萃 福建南平貢陞教諭

董朝璋 福建松溪貢陞教授

成詠 直隸興化貢

萬曆

帥蘭 湖廣江陵進士

張涵 浙江仁和儒士

劉嘉言 河南洧川監生

陳紀 四川成都舉人

洪文量 雲南左衛貢

魏良臣福建甌寧進士

周希旦廣西賓州貢

溧水知州

國初

鄧鑑

顧登

洪武

郭雲湖廣隨州改知縣

溧水知縣

縣丞

主簿

教諭

訓導

郭雲陞指揮僉事

呂秀山

柯原立

姚崇文直隸華亭

朱潤祖邑人

革除

段成礿

張復禮 貢田 太諳

汪仲彰

高讓甫 浙江平陽

趙文振

陳宗銘 浙江雲和 賢良署布政使謫調瀏陽

黃銓 書 [illegible]

蔡中

朱[illegible]

永樂

賈眞 直隷廣平

朱必暄

鄭仲源 浙江臨海

廖以仁

王豚

宣德

鍾孚

侯康

王賓

正統

陳成

王懌 山陰

韋忠

張智

楊禧賢

李斌

張彥良 江西豐城

吳復 福建閩縣

	歐陽鳳	袁方	杜篪		
			卓興		
景泰					劉釗江西泰和
天順	張昱廣東	白琛	郭昶	楊澄	周珦江西吉水
	張徤直隸真定	楊海	馬聰	韓和江西鉛山舉人	陳弘載江西京
	蕭通江西泰和貢				陳睿江西安福貢
	張璡				陳安福建閩縣舉人
成化	夏環江西豐城進士	王臣	潘珍	林挺	丘野江西臨川舉人
	燕壽陝西咸寧舉人	張春	王誠	徐綬河南杞縣舉人	郭鉉浙江嘉興舉人

王鎬浙江黃巖進士歷知府

甯賢直隸定遠衛進士

周介

李源陜西汾州

白玘

李鑑

韓伯聚

楊傑

劉鳳

焦雄

李芳

楊昌隆

劉仕弘

安靜河南武安舉人

潘埜廣西桂林舉人

薛誼福建閩縣舉人

吳世淳浙江天台舉人

弘治

張能 江西德興進士
張璲 順天霸州吏
李文盛 直隸盧龍舉人
王鶴
曹玉 山東嘉祥進士
陶煦 浙江秀水進士
胡玥 湖廣襄陽進士 歷布政使
史英
白璽
邢勉
尚達
王堂
高魁
張居敬 新昌舉人
許洪 浙江臨海貢
曾憲 江西泰和舉人
翁紳 新昌貢
徐爵 四川大竹舉人
鄒江 浙江餘姚
劉文宗 河南汝州 舉人
王鋼 浙江慈谿貢

正德

張天錫 順天霸州進士
趙竣
許芳
金鑾
張懿
龔榮 廣西全州舉人
盧珊 山東蓬萊貢
于朴 直隸河間舉人
馮萬濃 廣東海陽

嘉靖

陳銘浙江會稽進士
陳憲江西餘干進士歷參議
何東萊四川瀘州舉人
王從善湖廣襄陽進士歷參政

姚陽
朱政
周禮
孫麓陝西澄城監生
王選浙江鄞縣監生
梅時用江西星子

李達
武福
陰豸
盧悅
王宗仁
張依仁
黃旻江西豐城監生
胡寧太倉衛監生
童[illegible]仁江西廣信

唐世卿浙江海寧舉人
杜鈞本學訓導陞
方彥福建莆田舉人
李旦湖廣永興舉人
陳誥福建漳浦貢
曾嘉誥湖廣麻城

谷仁湖廣邵陽舉人
杜鈞湖廣江夏貢
楊鳳江西泰和舉人
楊覲四川新繁貢
王庠浙江遂昌貢
彭璬江西浮梁貢
王瑞江西峽江貢

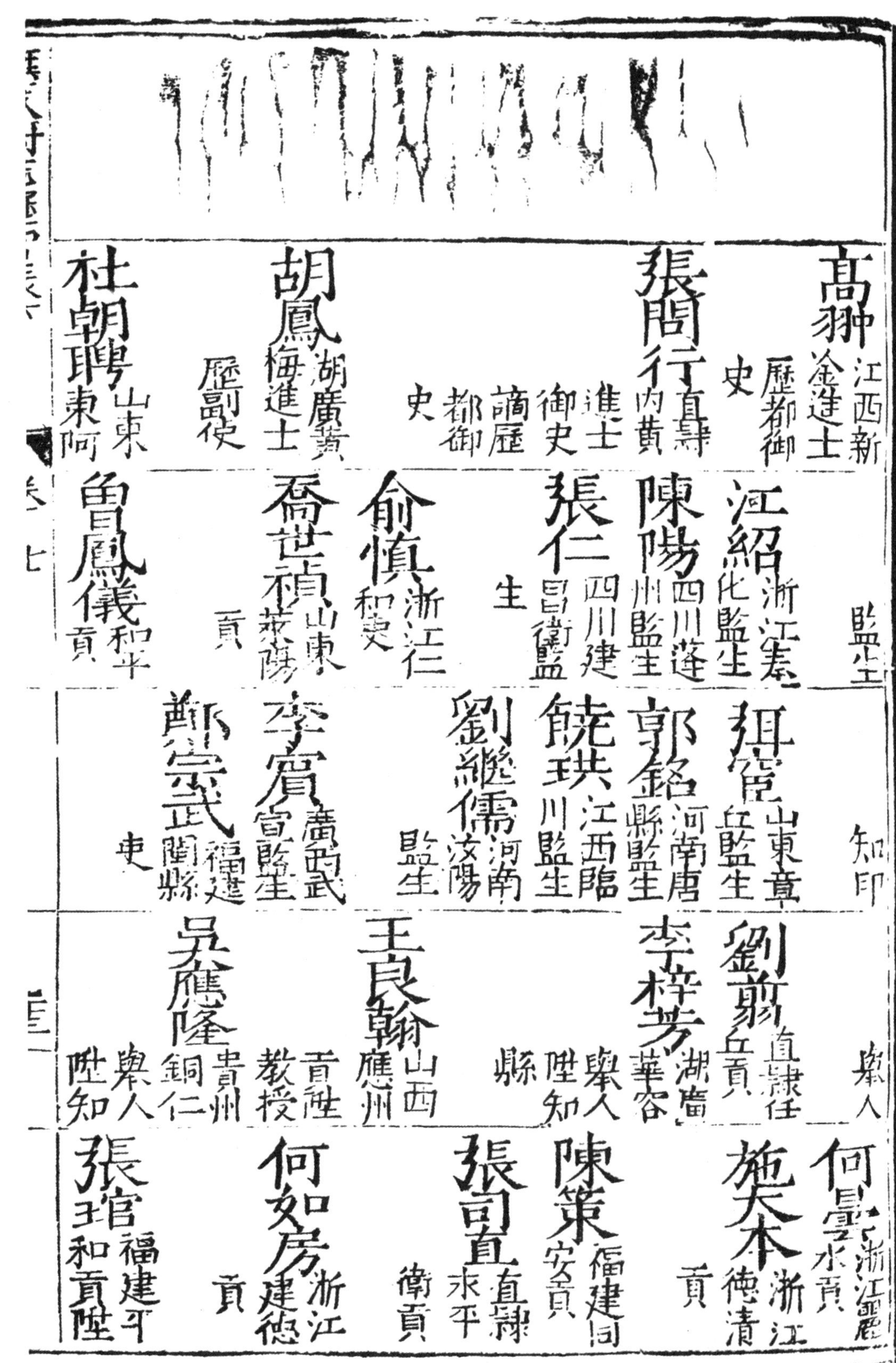

高翀 江西新淦進士 歷都御史
張問行 直隸內黄進士 御史 謫歷都御史
胡鳳 湖廣黄梅進士 歷副使
杜朝聘 山東東阿

監生
江紹 浙江奉化監生
陳陽 四川蓬州監生
張仁 四川建昌衛監生
俞慎 浙江仁和吏
喬世禎 山東萊陽貢
魯鳳儀 和平貢

知印
祖官 山東章丘監生
郭銘 河南唐縣監生
饒洪 江西臨川監生
劉繼儒 河南汝陽監生
李賓 廣西武宣監生
鄭宗武 福建閩縣吏

舉人
劉翦 直隸任丘貢
李梓芳 湖廣華容舉人 陞知縣
王良翰 山西應州貢 陞教授
吳應隆 貴州銅仁舉人 陞知

何曇 浙江麗水貢
施大本 浙江德清貢
陳策 福建同安貢
張可直 直隸永平衛貢
何如房 浙江建德貢
張瑄 福建平和貢陞

進士歷主事

陳光華 福建莆田 進士歷按察使

謝廷洍 四川富順 進士給事中謫歷僉事

趙珠臣 南江貢

李文通 浙江縉雲 吏

聶廷芳 江西清江 監生歷衛經歷

余大韶 福建順昌 監生

冒能 直隸博野

蕭露濡 河南洛陽 所監生

馬時中 河南湯陰 監生

劉潤 山東高密 監生

周堂 河南鹿邑 監生

姜從周 山東即墨 貢生縣丞

孫祿 順天通州 監生

縣

沈琪 浙江德清 貢生教授

吳會 江西南安 貢生教授

葉露新 雲南右衛 舉人歷長史

張世華 浙江建德

教諭

黃積廖 江西金谿 貢生教諭

林雨 浙江平湖 貢生教授

辛縯 浙江蘭谿 貢生州學正

陳良佐 四川新寧 貢生教諭

陳公陞 福建閩縣進士郎中謫歷副使

鄧魏 湖廣瀏陽進士陞御史

包桐 浙江鄞縣舉人

欒尚約 山東膠州進士陞御史

貢

陞縣丞

鄭週 福建永定監生

陳邦言 浙江建德吏陞縣丞

杜澡 山東齊陽監生陞衛知事

鄒木 浙江餘姚承差

劉淶 湖廣麻城監生陞縣丞

貢陞學正

張思明 江西高安貢

甘廷魁 福建侯官貢陞教諭

曾震 四川合江進士歷參議

周之屏 湖廣湘潭進士歷提學副使

陳文謨 浙江慈谿進士

賀一桂 江西廬陵進士陞御史

申鎧 直隸肥鄉監生

隆慶

劉應雷 江西萬安 進士

王之綱 湖廣夷陵 舉人 中書舍人 諭陞知縣

程大器 河南確山 貢

王南山 順天密雲 貢陞典寶

馬麟 山西大同左衛 貢陞紀善

陳洧 河南真陽貢

馬應龍 雲南阿迷州貢

楊文富 福建歸化 貢陞教授

丁永曉 湖廣武陵 舉人陞知縣

姚仁 遼東蓋州衛貢 陞教授

唐惟倚 湖廣東安 貢陞知縣

宋天朴 直隸滑縣 貢陞教諭

萬曆

傅應禎 江西安福

郭一奎 江西安遠

鄧霑 浙江仁和監生

朱大恩 直隸華亭

阮化 浙江於潛貢

江浦知縣	進士陞御史 吳仕詮浙江歸安進士	洪武 劉進 佐存仁 龎俊	永樂 周益由聖政記
縣丞	貢陞典寶 胡行謙湖廣蘄水貢	黃克庸貢出大誥	
主簿	陞縣丞 婁愛浙江會稽監生		
教諭	貢		祝廷恩浙江麗水
訓導			孫謨浙江錢塘舉人

劉英

舉人

宣德

吳文達 山東樂安人材陞通判

李文煥 山西廣陵貢

張肅 直隸滿城

孫鼎 江西廬陵舉人歷督學御史

孫珙 浙江嘉興舉人

正統

嚴進

陳端 浙江蘭谿

蕭增 山東

平璉 湖廣沔陽舉人

余春 浙江遂安舉人

文彬 廣西臨桂舉人

賈琮 浙江永康

景泰

羅信 河南固始貢

尚聰 湖廣棗陽貢

張宋道 江西南昌

蔣瑛 浙江錢塘儒士

羅慮 江西永新儒士

勞鉞 江西德化進士歷知府

天順	成化
王迪直隸故城貢；彭烈江西吉水進士，御史陞布政使	袁綱四川雙流貢；雷時河南西平進士；馬文麟河南鈞州貢，調江陰
丁潮；石清	張聰山西嵐縣；王欽直隸清苑監生，後裁革
潘源盛廣東南海	韓紹祖山東章丘；趙績直隸定興貢；楊正江西
錢金浙江會稽舉人；陳經江西廬陵儒士；鞠昂直隸河間貢	吾享浙江開化舉人；陳則安福建莆田舉人；敖憲湖廣華容舉人；黃思恭四川安[illegible]；張思孔四川眉州貢；鮑[illegible]浙江鄞縣貢；陳熬江西玉山貢；洪思福建莆田舉人

弘治

張鳳 江西宜春進士歷知府
林資 浙江秀水進士
蕭育 江西泰和舉人
胡昉 浙江蕭山進士
章文韶 浙江慈谿進士
馬文盛 湖廣漢陽進士陞通

楊思和 湖廣孝感
高越 江西雩都監生
胡孝卿 河南羅山監生

曹亨 浙江奉化貢
蘇範 廣東順德舉人
林符 福建莆田舉人
譚夔 廣東南雄舉人

張麟祥 福建莆田舉人
廖蘭 湖廣安鄉舉人
李寬 直隸武強貢
陸廷玉 浙江錢塘貢
李彪 江西餘干貢陞教諭
漏真 浙江山陰貢

正德

判

吳華江西臨川進士
秦鋭浙江山陰進士
黃遵溧陽教諭陞
魏顒湖廣蒲圻舉人陞知州
孫綬河南鄭州進士

趙秉禮山西陵川監生
曹鎰順天固安
張恍四川南充
金溥直隸撫寧

何瑄廣東南海舉人
蔡邦紀廣東海陽舉人
劉度四川巴縣舉人
梁麟河南許州貢
陳應奎福建閩縣

鄭岳福建福清貢
劉惠河南洛陽貢
趙鉽山東莒州貢
王曾福建晉江舉人
莫鈍廣東[illegible]浦舉人
王進直隸廣平貢
楊鸞浙江湯溪貢
凌雲浙江遂安貢
鍾奇山江西[illegible]載

嘉靖

宋文載浙江淳安舉人

王立直隸吳橋舉人
耿瑆河南盧氏進士
周錡浙江鄞縣舉人
林繼皐福建閩縣進士
陳文浩福建閩縣

王卿湖廣清浪衛
李經緯河南中牟
葛綬河南太康人
姚鸞陝西溪州
黃栶浙江蕭山貢
楊熊

舉人

林桴浙江瑞安貢
陶悅廣西儀衛司舉
胡憇湖廣沅州舉人
謝循江西永豐貢
吳讓江西浮梁舉人

貢

楊宗甫江西分宜貢

孔彥綬浙江西安貢
鄒賢江西南昌貢
吳珠江西湖口貢
余喬福建永安貢
陳潛福建莆田貢

進士陞
事

劉縉 廣西桂林舉人

高祉 江西宜春舉人

司守約 湖廣興國監生

黃昭 江西南昌舉人

張峰 陞通判

侯國治 廣東南海

丁大章 山西廣昌貢

陳有孚 浙江餘姚監生歷通判

包一龍 浙江松陽貢

伍傚 湖廣松滋貢

王賓 江西豐城舉人

王振朝 江西贛縣貢

周廷賓 廣東從化舉人陞學錄

董士齊 湖廣應山貢

習彖 河南洛陽貢陞教諭

黃鍾 江西南昌貢

戴乾 浙江昌化貢

徐圻 浙江龍游貢

張時相 四川松番衛貢

隆慶

舉人歷知府

黃皖 浙江浦江貢

蕭惟馨 廣西桂林 舉人陞知州

李大瀾 福建晉江 進士 歷府

吳庠 江西上饒 監生

沈渠 浙江山陰

陳靜觀 湖廣宜都 舉人陞知縣

楊恹 四川新都 貢

熊汝諧 湖廣當陽 舉人陞知縣

謝朝元 貴州婺川 貢

劉光鉉 江西永新 貢

何世傑 四川彭水 陞教諭

萬曆

同知	王之綱 見溧水陞通判
六合知縣	周經 江西貴溪進士陞主事
	沈孟化 福建永定進士
縣丞	
主簿	彭桂 湖廣黃岡監生
教諭	馮科 浙江秀水貢
訓導	謝元順 直隸武進貢
	朱晁臣 浙江[illegible]貢

國初	洪武	永樂
胡有源	陸梅（四川中江貢） 李仲美 歐陽得基（湖廣龍陽舉人）	胡銘惪 王翔 皮以貞 劉衡（山東曹州舉人）
	端章甫（直隸滁州薦舉陞知縣） 徐昭文（後裁革）	
	李實	李貞
		許安（浙江錢塘舉人） 葉彬（福建建安貢）
		蘇祥（浙江遂昌舉人） 陽汝賢（湖廣茶陵貢）

	宣德	正統	景泰	天順
黃裳山東臨清貢	林至福建福清進士 史思古浙江象山	黃淵河南洧川貢	劉茂江西贛縣貢	
	王凱	宋秉彝	呂所	李疇
		魏瓚浙江慈谿舉人	張壽浙江黃巖舉人	杜璠浙江舉人
		陳培 何瑄江西	江朝宗四川銅梁舉人留教諭	李芳

成化

張恒湖廣襄陽貢
唐詔山東陽信貢陞府同知
周南浙江縉雲進士陞御史歷右都御史
婁宏廣西賓州舉人

李隆山東濮州貢
王瑄山東陽信貢
邢端山西湖州監生
劉瑾四川蒼溪監生

木昱浙江錢塘貢陞教授
瞿璞
周瀾江西貴溪舉人
應紀浙江太平舉人補黟縣

謝俊江西樂安舉人陞助教

茍贇
鄭儀和福建莆田貢
易永恒四川內江貢
曾莊江西泰和貢
林質福建龍溪貢
吳忠江西鄱陽貢

	弘治	正德
楊澤直隸河間進士陞主事	安鑑順天永清貢 謝湖廣東海陽進士評事謫歷參政 鄧績江西泰和舉人 翁諫浙江壽昌舉人 張諧福建閩縣進士	趙崇賢浙江天台
	楊顯 劉恩山西沁水監生 武通山西陽曲監生 潘琰山西壽縣監生後裁革	
	余友諒江西德興貢 張敔山東觀城舉人 周仁河南上蔡舉人	凌本湖廣襄陽舉人
	高福江西安福貢 金魁浙江太平貢 邊鴻山東維縣貢 王亨浙江仁和貢 田宣浙江山陰貢監教諭	劉紀河南遂平貢

舉人陞知州

張熙 直隸清苑舉人 降教諭

鄒宗賢 浙江臨安舉人

萬廷珵 江西安福舉人 陞主事

歷知州

徐丙 浙江長興舉人 歷知縣

李椿 浙江麗水舉人

馮縉 直隸清苑貢

涂本道 湖廣華容貢

鄭仁慈 廣東潮陽貢 陞教諭

湯治 江西永新貢 陞教授

帥子卓 江西奉新貢

嘉靖

陳越 廣東東莞舉人 補瑞金

李楚 福建福清舉人

林幹 福建懷安舉人 歷府同知

金克厚 浙江僊居進士 歷員外郎

何宏 廣東順德舉人

高繼耀 江西南昌舉人 歷推官

顏新 河南洧川[illegible]人

王敏 浙江義烏貢 歷教授

王洛 浙江雲和貢 陞教諭

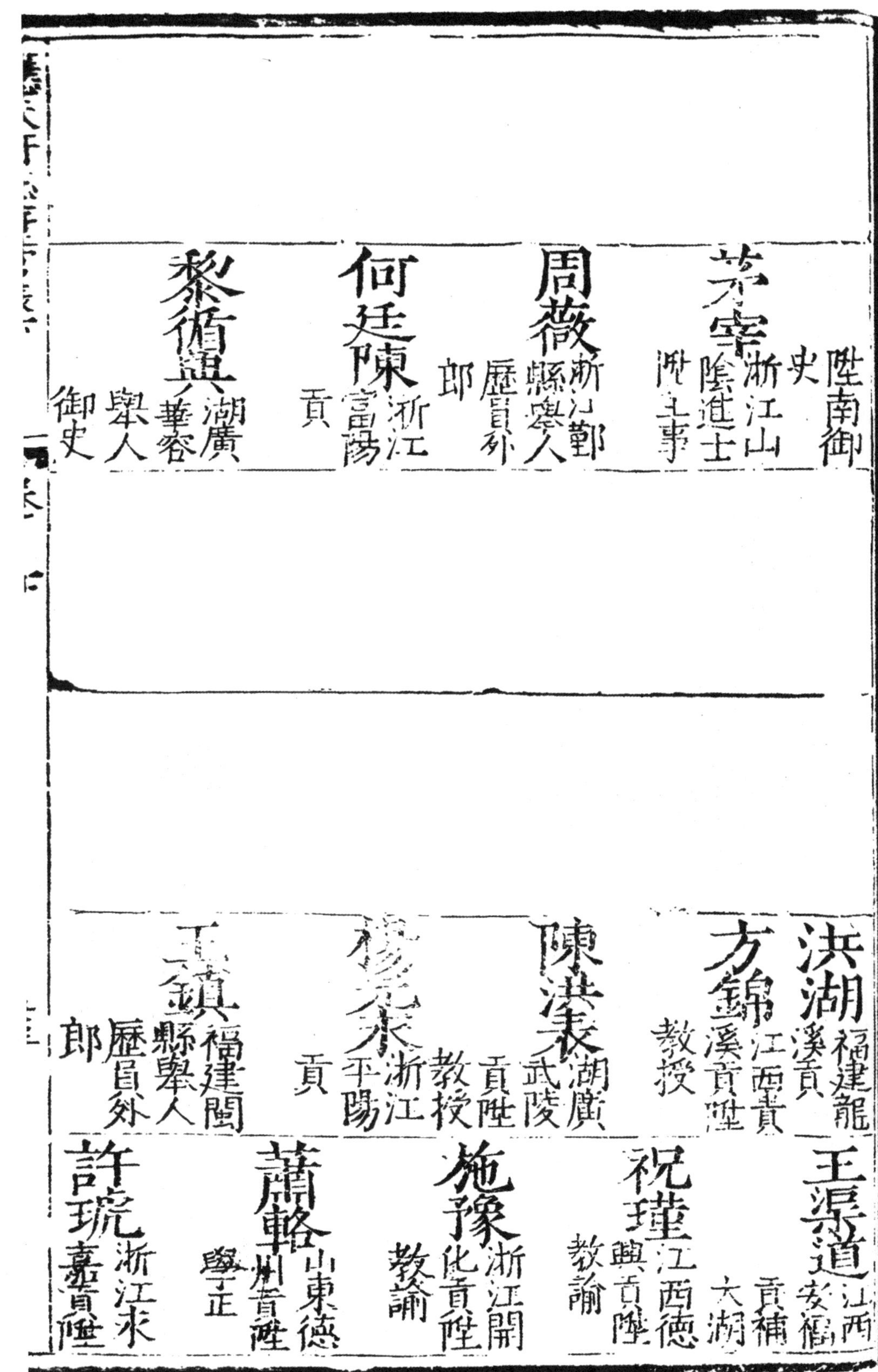

陞南御史

茅宰 浙江山陰進士 陞主事

周薇 浙江鄞縣舉人 歷員外郎

何廷陳 浙江富陽 貢

黎循眞 湖廣華容 舉人 御史

洪湖 福建龍溪貢

方錦 江西貴溪貢陞 教授

陳漢表 湖廣武陵 貢陞 教授

穆[illegible]來 浙江平陽 貢

王鎮 福建閩縣舉人 歷員外郎

王景道 江西安福 貢補 大湖

祝瑾 江西德興貢陞 教諭

施豫 浙江開化貢陞 教諭

蕭輅 山東德州貢陞 學正

許琥 浙江永嘉貢陞

謫

邵漳 浙江餘姚進士歷參議

董邦政 山東陽信貢陞僉事

管嘉福 山東[illegible]進士歷府同知

宋鑑 浙江烏程舉人

張健 浙江上虞貢陞教授

鄭襄 福建莆田貢

林澄 福建莆田舉人歷府同知

劉燕 江西吉水貢

徐演 福建邵武貢歷教授

姚奭 福建浦城舉人

教授

馬珂 浙江平湖貢陞教諭

徐夢熊 浙江山陰貢陞教諭

何桂 湖廣沅江貢陞教諭

王盼 山東蒲臺貢陞教授

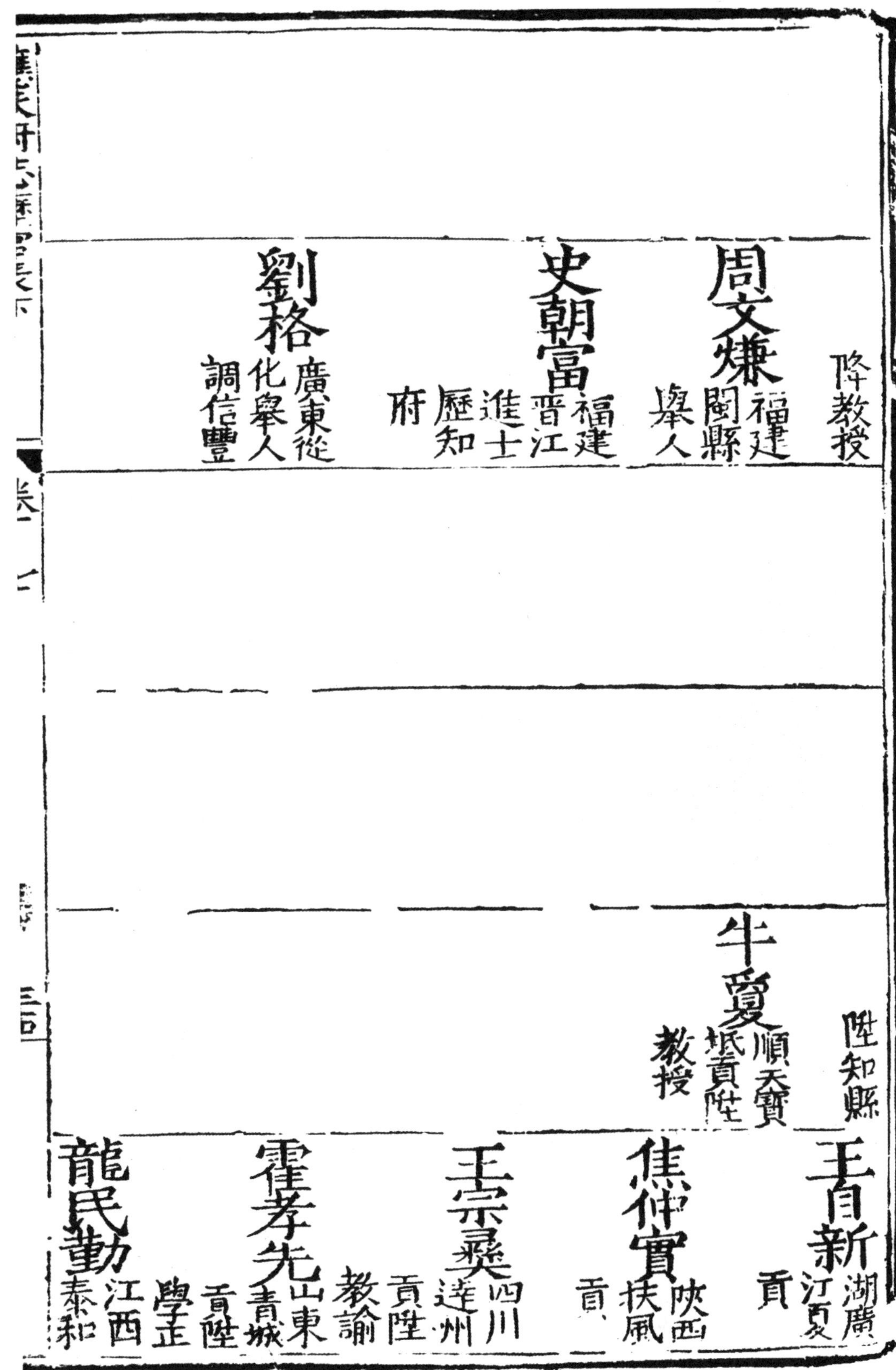

降教授

周文燫　福建閩縣舉人

史朝富　福建晉江進士歷知府

劉格　廣東從化舉人調信豐

陞知縣

牛夏　順天寶坻貢陞教授

王自新　湖廣江夏貢

焦仲實　陝西扶風貢

王宗燊　四川達州貢陞教諭

霍孝先　山東青城貢陞學正

龍民勤　江西泰和

貢陞教諭

隆慶

章世禎 江西餘干舉人陞知州
董潤 山東濟寧舉人
李箴 浙江臨海舉人陞南評事

關埸 直隸南宮貢
吳邦 浙江錢塘舉人陞推官

張鎔成 河南羅山貢陞教授
張鯨 山東齊河貢陞教諭
桑子實 江西寧州貢陞教授
盧文衢 山東冠縣貢陞教授

萬曆		
邵廷臣福建福清舉人		
黃允川浙江蕭山貢	朱建侯浙江嘉興貢	
錢崇直隸[illegible]人	石如圭江西樂平貢	

馬崧劉大年李暑皆未履任例不得書淮安志云孫益智爲六合諭益智寔諭天台海州志可考

弘治		
高淳知縣	宋澄浙江臨海舉人	劉傑山東舉人
縣丞	錢瓛浙江烏程監生	單璧河南固始監生
主簿	孟晟山東益都吏	王海直隸任丘吏
教諭	陳貴廣東歸善貢	
訓導	張玗浙江山陰舉人	劉大本四川內江

林琦 福建福寧舉人
熊吉 江西臨川進士
劉景 直隸蠡縣監生
宋麟 山東濟南吏
張吉 湖廣桃源監生
項覺 浙江青田貢
江增 浙江常山貢
徐導 河南固始貢
貢

正德

李岫 順天宛平舉人
王廷相 河南嵩縣進士給事中謫陞御史
閻茂 河南洛陽舉人
吳璘 河南魯山監生
王堂 山東護衛監生
廖威 湖廣興山舉人
何天衢 湖廣偏橋衛監生
劉真 直隸博野吏
劉芳 四川成都監生
閻相 陝西渭南知印
閻宗禮 直隸清豐監生
王輔 山東歷城貢
于鳳 江西新淦舉人復補合肥縣丞事
鄧富 江西寧都貢
江純 江西貴溪貢
楊德修 四川長壽貢
姚文材 福建莆田貢
劉滔 浙江奉化貢
俞熙 浙江桐廬貢

黃大源 福建莆田進士
馬雲 河南伊陽監生
王居正 山西臨晉監生
徐一夔 浙江山陰舉人
吳期暢 江西永新貢

頓銳 涿鹿左衛進士陞主事
施懋 浙江東陽舉人
陳艮山 福建莆田舉人

葉清 福建邵武監生
徐瑤 山東監生
徐升 直隸雄縣監生
王應時 湖廣羅田貢

楊學書 山東武定舉人
黃豫 福建候官舉人

嘉靖

劉啓東 河南羅山舉人
張聰 直隸景州吏
潘滉 江西上高監生
董裕 山西鎮虜監生
袁邦 直隸東明監生
賈宗魯 山東嶧縣貢生教授
饒廷用 湖廣華容貢

胡愷 浙江餘姚
伍鎧 福建晉江進士 歷光祿少卿
祝廷玉 福建候官舉人
劉汀 直隸南宮
陶秀 江西南城舉人 陞知州
胡儒 見府學

曾堡 山東德州監生
劉繼昇 山東德州 吏陞衛知事

楊袗 湖廣武陵舉人
張鑾 浙江錢塘舉人
楊暉 福建候官舉人
徐圭 浙江錢塘舉人
蔡芳 湖廣貢
滕煌 江西新昌貢
胡忞 浙江仁和舉人
劉龍 廣東東莞舉人

潘佐 浙江烏程貢
朱宏 江西南城貢
蔡階 江西金谿貢
柴芝 浙江江山貢
鍾憲 江西萬載貢
徐錦 湖廣均州貢
謝魁 福建建寧貢
徐公輔 浙江開化貢

降襲

黃餘慶 江西安義 舉人
程仁 浙江金華 監生
陸陽 浙江湖州
方沂 江西浮梁 累陞知州
鄧楚望 湖廣麻城 進士 歷知府

鄧楚望 副使
蕭陞 知縣
王伯璉 江西永豐 吏

段以中 山東陽穀 監生

李九成 江西貴溪 貢
李應蛟 浙江錢塘 舉人 陞助

錢相儒 浙江德清 貢
劉緩 江西泰和 貢
劉杏仁 湖廣上津 貢
朱寅 湖廣漢陽 貢
張尚賢 江西萬安 貢 陞教授
錢學 廣東東莞 貢
查熹 江西星子 貢

教

李亨陽 四川安縣 貢

施伯祚 直隸宿州 貢

江和 江西進賢進士 調錢塘

夏大勳 廣東饒平 舉人

張佐治 福建平和

姚志學 直隸永年 貢陞工正

李鸞鳴 浙江義烏 監生

陳道 浙江錢塘 貢

保光先 河南葉縣 貢

王體升 浙江錢塘舉人	進士調長興

論曰漢興高惠文景與民休息而涖玆土者不少概見自建武以來始得李忠其行事稍可稱述亦云鮮矣六朝分王徃徃以宰相親王領郡故考信於史牒者最詳宋時號爲東南鎻鑰皆簡名卿焉亮四任馬光祖三任蓋慎哉其畀之也

高皇帝加惠元元京兆之任獨異列郡長吏而下府有倅縣有佐學校有文學掌故治而教之法守燦然于今二百餘年吏稱民安至有尸而祝之長老時時稱說以詔夫後之人者直道之在民心可不慎所以感之哉

應天府志卷七終